積風三集

蘇珏序：三人行

除了創作，我對祺認識不多。但他是我最重要的朋友之一。這段友誼，就我們兩個寫序的和他，三個人。一年聚不到幾次，平常通訊，都靠電郵。每每收到他的來信，沒有閒話，少有近況，貼上一篇新寫好的文章，和「有空請批評」五個字。我們閱後回覆感想，一往一來，一封一封的編織出這十年交情，好些我們曾討論的便收錄在幾本《積風集》裏。這裏分享一些我們曾傾談過的東西，希望能增添大家讀此書時的樂趣。

我從事圖文創作和設計。三人中我學問最淺，張愛玲？不懂，華意達？抱歉。但對他們來說，那就對了，我能以讀者（一個每天辛勤工作，週末希望抽些時間吸收文藝知識，提升修養的大眾市民）的角度來批評他們，這點亦是我們的共同理念——不卑不亢地向大眾推介自己認為最好的作品。

以〈浮游——讀石黑一雄《浮世畫家》〉一文做例，看初稿時就喜歡文章的主題：「創作與生命和時代的關係」。文章結尾時提到的，作為一個藝術家，「報應不是譴責，而是遺忘」也令我印象深刻。但開段提到石黑一雄的其他作品，對我這個不認識作家的讀者便艱難，故提議刪減，後來祺將這部分移至文末，成了現在的定稿，我再讀時，感覺是先聽他將《浮世畫家》的故事娓娓道來，產生了興趣，想知多點，他才將另外兩部關乎歷史的小說介紹出來，覺得十分順心。這討論引申到推介文藝時要注意的地方：有沒有從讀者的生活和觀點出發引動主題？有沒有故意「拋書包」，在不需要的情況下用了艱深的字眼？

基於三人互相信任，討論時最樂的地方，是可以認真謹慎，同時又能輕鬆自在地提出意見。祺說到某書值得欣賞處，十分懇切，聽他批評，則直接平和，指出哪裏有問題，建議哪裏可以更好，沒有火氣和貶抑別人之意。回想起來，其實祺好像一直都是這樣。初初識他是因為大家在同一所中學教書，那時我兼讀一個碩士課程，喜歡在教員室口若懸河。一次他問：「你常常開口就提現象學，到底現象學是甚麼？你可以先跟我們簡明說說嗎？」我才發現自己說不清，原來不懂。這件事可能他沒有上心，現在回想，他那時一臉天真的樣子仍很有趣，因為他是純粹想求知，誠心誠意地問。現在年紀漸大，更加覺得真誠意見的難能可貴。

《積風三集》中收錄了幾篇遊記。祺曾問我們，這樣寫遊記有意義嗎？收到初稿那天，我很晚才下班。這封電郵帶我去了秘魯，一個我完全陌生的國家。噢，原來那裏也正在示威遊行嗎？情況竟也跟香港有相似之處？到底發生了甚麼事？看着他沿途的描寫，和當地人談話，慢慢覺得好像伴在他身邊，跟他一起去旅遊似的，工作的疲勞亦好像因此紓緩了些。更好的，是覺得他無論走到多遠，文章都是為香港讀者而寫，有這份親切感，像帶了香港去旅行。那夜也看了康廷一篇介紹哲學理論的文章，睡前回覆他們：「感覺哲學像一把在不斷磨利的劍，在尖鋭點上光芒四射。文學卻像是作者整幅人生的展現，由價值觀到興趣，到生活點滴，將自己日常生活提煉成滋養讀者生命的肥料。」

《積風三集》首尾兩文互相呼應，從個人的讀書經驗説到志業，我覺得惹人共鳴，能使正在創作途上尋尋覓覓的人感歎一聲：我該當如何？他在文中先幽現實一默：「在香港談『志業』有點超現實，一不小心就給人聽錯作『置業』」，再分享他的想法——「鳥兒輕輕在歌唱」。這題目在《積風集》出現過，想不到這句前輩和我們吃飯時説的話，他會如此深刻。他説自己做不到大鷹，願做隻能輕輕歌唱的小鳥。但他對這「小鳥」的要求原來也相當高！記起有次我邀請他到我公司，以「詩詞 ABC」為題，跟我的同事分享一些傳統中國詩的基本知識，結果同事都大讚。不論寫文章或講課，他累積這些功力需要下的苦功，很可能是遠超我能想像的。

不過，有時討論也不一定馬上有共識。他對我文筆的批評是太跟從某位我喜愛的作家，提議我不要太快進入某種風格，認為會減去我的其他可能。但我當時認為自己的風格是從生活、閱讀中歸納來的，太刻意改變反而造作。這個問題就沒有討論下去，直至我收到他用一種較輕鬆鬼馬的文風寫的文章，使我着實感受到這種可能。這不是扭曲自己，而是在不同對象面前，為了溝通得更好，發展自己的另一些面向。這可能正是書中訪談部分提到的"In search of you I find myself"。但這些行文鬼馬的文章沒有收在此書中，大家如有興趣就要網上搜尋了。

感謝祺邀請我寫序，感激十年來的同行，散漫時鞭策，困倦時開解，可我知道人生的路始終是要自己走的，三人同行，卻不能代步，到底自己可否真能夠找到適合的聲音，輕輕地歌唱呢？

可惜的真是見面傾談的時間太少太少，還有，本來說好了一起打籃球，還未成行。

李康廷序：文藝中年邊緣回望

話說我當初也是一個文藝青年。中學的課本我從來不碰，放學後卻一個人到公共圖書館找那些著名的文學和哲學經典來讀，結果囫圇吞棗的啃了幾十本志文出版的「新潮文庫」。戲院上映的流行電影我當然嗤之以鼻，電影只看經典或前衛的。在互聯網還未流行的年代，這還耗費了我不少金錢和時間。要看這些電影，唯有到信和中心買那些昂貴的翻版一區DVD。一年一度的香港國際電影節當然要出席，而且必須一個人去才夠格調（反正沒朋友和我去）。最多試過一天看三場，由中午看到夜晚，經常會碰到同一班人。自覺是文藝青年一份子，也就值回票價了。

回想過來，那段飾演文藝青年的日子有甚麼得着？今天的我會說：沒有，至少知識上完全沒有。當別人努力應付公開試，或躲在家裏打遊戲機時，我竟然笨到走去看那些我看不懂的書和電影。我學到甚麼？除了一些名字、不知道為何是正確的立場、只能通過望文生義去理解的術語之外，甚麼都沒有。雖然有點狠心，但我確實認為我浪費了自己的青春。

我渴求知識的心情是真誠的，卻不免帶有幾分虛榮。讀書令我自覺與眾不同，閒談時拋一兩個術語出來、引幾句名人雋語或電影對白，就覺得自己很有深度。最大問題是，這種表面的「學識」竟能騙人，身邊有人會以為你學問淵博。可惜我連騙子也不如，我沒存心騙人，真的以為自己懂。所以我其實是被騙了，被那些以為我懂得的人騙了。沒有人是騙子，可是大家都被騙了，簡直就像一同跌入了結界那樣。

令我從結界中醒覺的，是蘇珏。每當我不知廉恥地大談後現代、傅柯、解構這些時髦的理論時，他總是一臉疑惑，然後窮追猛打地不斷問我問題。經過他多次嚴刑逼問，我才發現自己其實甚麼也不懂。在那些哲學家的名字與理論術語背後，是徹底的膚淺與庸俗。於是我立定決心從基礎學起。我和蘇珏一起找老師辦讀書組，時常討論各種問題。有了蘇珏這個同學之後，我感到自己比以前更懂得思考，讀書也比以前謹慎得多。同時我開始接觸英文書，發現到有分量的學者原來就是那些能夠將艱澀的理論講解得清清楚楚的人。一時間，整個全新的學問領域在我眼前展開。我比以前更有耐心讀書，憑着小學程度的英語，每天逐個字逐個字艱難地爬行。進度雖然緩慢，卻確確實實感到自己正在前進。原來這就是腳踏實地的感覺。

* * *

在中大讀碩士時，辦公室旁邊正在興建新的教學大樓。我每天坐在窗邊讀書寫論文，悶了就往窗外的地盤看。建築工人繁忙工作，看着看着竟然心生羨慕。他們的工作真實在！靠老實的體力勞動，地盤就像一棵急速生長的植物，轉眼間由一片泥濘變成一棟七八層高的大樓。

對比之下，我的學習進度就更顯得停滯不前了。我待在辦公室的時間不會比建築工人開工的時間少，自問也算勤力，但我究竟做了甚麼呢？那時我正在讀康德的《純粹理性批判》，讀得很慢，而且很多時讀完也不明白。每天收工從辦公室走路回宿舍都有一種茫然若失的感覺。我究竟在幹嗎？簡直就像用漁網去捕捉空氣一樣。那兩年間，我真切地了解到自己的平庸。單是要理解康德這些大哲學家的思想，已經耗盡了心力，我根本就沒可能寫得出具有原創性的學術著作。這個世界是不是搞錯了甚麼，錯誤地把我放在這個位置？我就像一個沒有咬實其他機件的齒輪，徒勞無功地空轉。

大概就是在這時認識郭梓祺。他是蘇珏的同事，我卻是在序言書室舉辦的讀書組認識他。我們三個很快就組成一個團體，和其他朋友一起搞讀書組，由哲學旁及文學和藝術等。後來參加的人愈來愈少，各有各忙，終於演變成電郵討論，成員只有我、祺和蘇珏。這個只有三個人的電郵群組，實際上是個微型文藝交流平台，我們分享最近讀過的書和電影，也會將自己寫的文章寄給大家，互相批評。這個三人學習群組對我非常重要。在這裏，我可以放低戒心，不怕得罪或傷害他人，坦誠地表達意見。同樣地，我也知道他們的批評和讚美都是誠懇的。在他們面前，我能夠坦蕩蕩地表達自己的所思所想，也能夠從他們眼中看見一個較為完整的自己。祺和蘇珏這兩個人，令我生平第一次感歎：有朋友真好。

* * *

祺令我明白到，要在世界找到自己的位置，必須要勇敢地展示自己。祺是我認識的人裏面，其中一個最謙虛的。他自言不擅長把握抽象的理論，寫不出高深的文章。然而他勤力，我和蘇珏常收到他電郵寄來的文章，讀過之後，留下感想，他再修改，之後這些文章就會流出報紙的副刊。他經常向身邊的朋友詢問意見，總是害怕有甚麼地方寫錯了，或寫得不夠好。

為甚麼堅持寫呢？他在《積風二集》中說：「世界已夠不公平，好東西更沒理由一路沉沒。寫文章，都是將不一定要跌在我身上的知識、想法和喜悅攤分開去」。為的就是不忍心那些好東西在香港無人知曉，於是唯有硬着頭皮去寫。正因為這份責任感，祺才會寫得如此認真謹慎，也因為這份責任感，他的文章才能夠寫得如此平易近人。他不會擺出一副專家嘴臉高高在上的教導讀者，也不會使用時髦的學術語言故作高深。他的語氣平實，彷彿是你行山時會碰到的一個尋常路人，告訴你哪邊的風景好看。他只是真誠地分享他覺得美好的事物，並告訴你他自己的感受罷了。

祺就是這樣的一個人，認真地寫着那些沒有太多人感興趣的冷門題材。難得他還能夠將自己的工作形容為「積風」。哈哈，相比起愚公移山，積風就更笨一籌了。佩服佩服。有些作者下筆就像颱風，誓要將讀者的思想世界吹得滿目瘡痍。如果祺的文章也是風的話，那肯定是一陣溫柔的微風，輕輕的翻開一本本放在枱面的書。

積風看似徒勞，其實卻是令飛翔得以可能的條件。天空翺翔的大鷹自然引人注目，然而沒有積風者的默默耕耘，再強壯的翅膀也不會飛得起，我十分慶幸文化界有祺這樣務實的一個積風者。

自序

有天忽想，現在竟在教書和寫書，只覺不可思議。小時候明明最想做職業足球員。

寫作跟踢職業足球，至少有一點相同：一將功成萬骨枯。我們只記得美斯，忘記許多跟他一起在巴塞出身，卻老早離隊落腳乙組、丙組，甚至遠赴亞洲的隊友。每個年代都有那麼多想法出奇的人，抵住生活的艱難寫下了書，卻只有一個保險公司文員成了卡夫卡，其餘大多湮沒，一百年後，還是無人重提。是甚麼令許多人選擇寫作呢？在我而言，活在香港沒法不憤怒或沮喪，但觸發寫作卻往往因為曾被打動，可能是因微知著的敏感、不隨眾的擇善固執、從瑣事展現對美善的念茲在茲，或沉着、緩慢、含蓄，簡言之，就是這時代容易被忽略的特質。一旦希望溝通就得想方法，憑學識解釋感受，解釋不來就修訂直覺或反省標準，揣摩後常別有體會。寫時可能不自覺模仿感動過自己的文章，注定徒勞，唯偏差之中漸漸又聽見自己的聲音。

這又回到足球，那是許多感受的起點。小學時參加青訓，有機會到體育學院比賽已是天大盛事。本來一直由可口可樂贊助，誰知那年轉了公司，球衣已是粉紅色，心口還大字寫着「桃哈多盃」，醜得令人絕望，雖然開賽前每人真會得到一包桃哈多。那時全家捧場，都記住我因射失十二碼連累球隊輸波而痛哭。塵世間竟有像足球那麼動人的東西，就連自己在球場上的喜怒哀樂，都要靠模仿球星的舉手投足來表現，最初是山度士，不單看他所有比賽，眼見他赴歐前在旺角場被人掃斷腳，有空還到南華會看他復操，順道偷窺宿舍，幻想長大後就住在那裏，到時山度士已退休，還是小將的蔣世豪將會是我隊長——數年前得悉蔣世豪自殺離世，之後南華主動降班，都有無限感慨，唯一安慰是放工時偶見山度士在附近球場教少年踢波，總忍不住如大叔般隔着鐵絲網觀看。後來發現自己跑得慢，根本不適合中前場，加上學識欣賞轉方向長傳的優雅，模仿的變成利物浦的列納，再過幾年是沙比阿朗素，再過幾年，已到足球員的退休年齡，便成為現在這個自己了。

在報章寫文章將近十年，我知道愈寫愈久不等於愈寫愈好。自問寫作路上一直順利，偶爾得到讚許，既然懂得做的事情不多，便繼續寫，盡力寫好每一篇文章。我原初以為自己謙虛，後來發現不全是，偶然見人胡謅還是會氣結。慶幸能遇上同路人，如友人蘇珏和康廷。我先認識蘇珏。他讀設計，十年前跟我同是校內新老師，某天週會忽到台前拿咪説話，卻只一直站着。大家看着他，等待，他滿頭汗，不知是太緊張還是禮堂太熱，誰知一開口就是山洪暴發，仿佛怕人在句子間打岔，幾乎不留空隙，身體微微震動。內容我全忘了，但往後我總以這畫面來理解他，他對求學和做人都有這純粹，有時甚至是種近於偏執的蠻勁。之後因為他認識康廷，人很聰明，因他專攻康德，我們就辦了個讀書組，主要就是我們三人，沒多久停下，變成輪流介紹自己範疇的好東西，來往電郵的標題一直沿用「康德讀書組」。讀書組對我影響巨大，許多話依然深刻，如康廷曾説求學應戒似是而非：「至少要説有資格錯的話」。後來我在報紙寫文章，他説，文章雖然是我自己寫的，但每次讀到，都有「讀書組榮譽出品」的感覺，聽了覺得很鼓舞。近幾年三人不常見面，但一聚首往往是馬拉松，有次晚飯後意猶未盡，説不如到家中坐坐，誰知一談又是天光。康廷説，多像報紙上那些色情騙局啊，飯後到家中喝杯酒那樣，卻被困一夜，及後我們就用「色情騙局」來做代號。他倆的序言我都邊看邊笑，此書能用二人的話開始，太好了。

有天在茶餐廳跟華欣説，即將出版《積風三集》，她的反應是：「唔好出啦，冇人買喍。」我都知。總覺得這種話最勵志。買書讀書的人仍不少，只可能不滿於你的習氣和水平，這我從來明白和尊重，只好更努力。書既出版，走得多遠，留得多久，就靠他自己了。感謝華欣，再度為書畫了合意的封面。她是我文章的首個讀者，常有許多不留情面的批評，嘲笑我時愛把「作家」的「作」拉長來讀，只為提醒我不要浪費報紙版面。感謝《明報》〈星期日生活〉主編黎佩芬小姐。合作將近十年仍未謀面，要是在街上碰見也不認得。她有時在電郵或電話問我，今週有什麼什麼，寫不寫？大多推卻，心中暗想那些東西我哪裏懂？反過來，跟她說今週想寫什麼，她只會回覆：「OK」。撇除她可能信奉極簡主義的美學，我一般視之為信任。要在種種壓力下維持這樣一份副刊，嘗試把香港領往更好的方向，需要的使命感和毅力自不待言，我一直敬佩。感謝再度為書提字的萬偉良老師，其人其字一樣瀟灑，是他令我看見一個更廣闊的人文傳統。感謝家人和各位師友。在這有限的人生中，遇到這許多好人，真是莫大福分。最後，感謝花千樹的葉海旋先生和黃秋婷小姐，書中若有訛誤，掃葉未淨，責任在我。

是為序。

二〇一八年四月四日於香港九龍城

目錄

蘇玨序：三人行……III
李康廷序：文藝中年邊緣回望……VII
自序……XII
少時與此獨無緣……1
《異鄉記》的未完之夢……8
我看《愛玲說》……13
人離鄉賤——重讀《秧歌》……19
外向的文學——重讀《浮光》……24

重讀《文學的視野》……29
賈寶玉與蠟筆小新……34
試觀此人——重讀李零《喪家狗》……40
魅力——讀《白鯨記》……46
來生必做機械人——哈拉瑞的《神人》……51
浮游——讀石黑一雄《浮世畫家》……57
瞬間看《十年》……62
腳踏實地——《火星人》的小說與電影……68
華意達的殘影……73
從楊德昌到臺靜農……78
書店與書……85

旅途與書……91
伊朗拾零……95
南美札記一：秘魯的罷工罷市……107
南美札記二：智利女孩與阿連德之墓……113
南美札記三：在阿根廷，他們真的從頭來過……120
南美札記四：烏拉圭與加萊亞諾……127
碎片幽光……134
貓與糖果——憶黃愛玲……140
從錦田到紫禁城——訪趙廣超……145
前生自是中國人——訪閔福德……157
笑與哭——訪關子尹……168

守書待兔——訪「國風堂」馮錦源……180
藝評的探索——訪查映嵐……193
大浪細浪意識流——訪梁穎禮……206
球評世界——從利物浦到香港丁組……217
鳥兒輕輕在歌唱……223

少時與此獨無緣

那是「翰墨軒」的寫字樓，在銅鑼灣一幢舊式大廈二樓，走上去的樓梯頗別致。在門口的書架一下就找到了《臺靜農詩集》，見旁邊還放着一排排書畫冊，當然不會買，在圖書館借來借去又嫌重，接待小姐似乎不會理我，便坐下逐本翻。其中《四妙堂藏中國近代名家書畫》，有齊白石一幅〈書卷〉，只隨意畫了本線裝書，一行題字：「少時與此獨無緣」。哈哈笑了出來。接待小姐抬抬頭。

黎佩芬來電提起，才知道週日是「世界閱讀日」。想了想，與其談書，不如寫寫自己的閱讀經歷。此生頭二十年，書就是教科書，讀書當然只為考試。由少時與書獨無緣，到今天會寫文章談閱讀，已移居加拿大的母親，一定最覺得荒謬。

從小到大，母親都擔心我讀書不成。中三學期末，學校有淘汰試，考二百以後的都給踢走。結果我考一百九十六，沒事，捱了兩年，到中五開學不久，知道會考成績差，找學校又要填表又要影證件相又要用鉸剪膠水剪剪貼貼，想起就煩，心中一驚，覺得應暫別 NBA、《男兒當入樽》和籃球場、《至 Goal 無敵》，《實況足球》和足球場，把考試當成唯一戰場。

書桌

母親見我用心，大概覺得終於良心發現，安慰之餘，認為我在家中應有一個溫書的地方。家不大，連阿嫲和伯父住了六人，電視當然佔據正中，我沒房間，母親覺得唯有近大門處放雜物櫃的地方不對着電視，有天又在樓下傢俬舖看見上身是櫃、下身拉出是書桌的蔗渣板組合，書桌不用時可摺起省地方，便落訂。父親沒說甚麼，只是書桌來了，跟我一起把舊雜物櫃抬到垃圾站，放下時輕輕說了一句：「仲咁新淨，真浪費。」

那是「改善生活」與「節儉生活」的對揚，各有各偉大，只是有時並不相容。安置書桌後發現，不相容的，還有溫習的安靜，與日常的吵鬧。書桌離電視還是太近了，阿嫲的主要活動又是邊坐着晃動身體邊看電視。我很小就明白，地少人多，單是聲量，已不知可製造多少麻煩。母親常頭痛和失眠，偏偏阿嫲又有點撞聾，早就注定了無可挽救的婆媳糾紛。阿嫲是用柴生火一代的人，懂得用遙控把電視音量降低，本來已很神奇，但電視聲音太小，她其實聽不到，總不能只看着公仔走來走去。碰巧，那時知道有幾個同學會到牛池灣圖書館的自修室，而且其中一個很美，週六日便跟着一起去。

自修室

牛池灣圖書館設計有點怪，成人圖書館在六樓，但須先乘升降機到五樓的兒童圖書館，再上一層樓梯。自修室也在六樓，跟成人圖書館以玻璃相隔。或為了使自修的人不如動物一樣給小孩觀看騷擾，離地約一米半是磨沙玻璃，看不透，那自修室於是一直帶點神秘，如練武的山洞。

初進自修室，肯定曾被那規模和安靜震懾——啊，這就是會考了。跟家中書桌面壁的侷促相反，自修室如此開揚，擱着幾十張長木桌，放着那麼多補習筆記、螢光筆、計數機，而且有種自為的秩序，靠一點點互相監視和想像裏的比拼，維持陌生人之間的專注。初期要提早排隊霸位，後來好像有固定編號。有時悶了，就走到下一層又走上一層，到不過在旁邊的成人圖書館亂逛。印象中，那裏僅有的十來個座位，總坐滿了仿佛會把當日所有報章讀完才回家的老伯。是那時知道了陶傑和張五常。

閒日則留在家中書桌。阿嫲早睡，晚上可關掉電視。父親的基地是露台，那裏有另一部電視，他知我溫習就會戴上聽筒，翻看錄好的三線劇集，偶爾傳來大笑聲——以前的無線劇還能令人發笑。有時天未光早起溫習，聽見阿嫲起床就緊張，因她總是忘了太早要小聲點，一開口就驚醒母親。我多麼渴望自己是透明的，不用趕在她開口說「嗱細佬，又咁早起身」前，便把食指豎在嘴前「殊——」地提醒她。有幾次早已醒來，待在床上，聽見她已出門晨運才起來。大了怕嘈吵，常希望可隱形，不知跟這些點滴有多大關係。

如是者，生活也真簡單，目標只是考試，單一又功利，卻是人生首次感到如此專心，如同賽道上加了眼罩的馬匹，看不到兩旁風景，只知衝線了，就可暫時解脫。那幾份尚未有人看見的會考試卷，就這樣佔據多少人的生活想像，如此神秘，卻從開考的一刻開始，一分一秒失去意義，尚餘半小時，尚餘十五分鐘，到考試時間結束停筆的一刻，便只餘下 past paper 的文獻價值，放在圖書館，年復年成為金庸和旅遊攻略以外最常給人借閱的書籍。

放榜

放榜了。在禮堂一排排坐着，成績單從前面派到後面，坐得後，還未拿到已聽見鬼叫的哭聲，斜前方鄰班一位向來被人欺負的男同學，則把拳握緊一收，同時大聲地「Yes!」，然後另一手捏凹了桌上剛喝完的可樂罐。後來才知道他只有五分。

輪到我。一看，十七分，好了，不用找學校。借了誰的電話打回家，跟母親逐科報告。晚上回家才知道，因在電話後的家姐發現各科加起來總分不對，她和母親一度懷疑我考得太差，隨便說個分數騙她們，不知收線後她們還說過甚麼。原來我看錯了「最好五科」一欄，應計最好六科才是，又借了誰的電話打回家澄清。一起去自修室的同學沒一個有十四分，升不到中六，大半年工夫，頓成泡影。

單車

捱上了中六，有個風和日麗的週六早上，臨時跟幾個同學去了中大開放日，不如今日的萬人空巷，校園導賞團也只十來人。中途給帶到外牆有攀藤的四合院式宿舍參觀，其中一間房，兩邊是對稱的書桌和床，陽光從窗外灑進，頭頂還吊了一部單車。這就是生活！是那房間，那單車，令我覺得無論如何要考上去，那兩年看得最多的就是「雞精書」和「天書」，更常早起床，跟阿嫲建立更多手語的溝通。結果幸運地考上了，卻發現根本沒人那樣掛單車，都放外面就算，開放日那個可能是示範單位。

因着這樣無聊的原因又過一關，進了大學，倒真遇到令人大開眼界的老師和同學，曾想過餘生工作，要是能躲起來校勘幾本古籍，於願已足。不計小學看何紫，中學看漫畫，真正會看看書，就在這時開始，頭二十年符碌地混過七八九十個考試，沒陣亡，才終於開始——也不一定是教育制度的錯，無緣就是無緣。

大了能讀書，長知識還在其次，最慶幸是偶有那渾忘時空的體驗：圖書館原來要關門了。還在地鐵。天快亮了。已到太空。讀了深刻的書，世界總微微鬆動，遠二寸闊一分，對生活未必有實質影響，卻總使我想起豐子愷那幅用了東坡句的畫：「折得荷花渾忘卻，空將荷葉蓋頭歸。」清幽的花，何妨繼續留在彼岸，回來時能拿一枝半葉遮遮風雨，便又是新的一天。

吃橙

到了今日，讀書之外還教書，眼見外面有外面的紛亂，香港有香港的苦悶，炸彈與自殺新聞好像梅花間竹，只有不審慎的人才樂觀。面前這些十六七歲的學生，跟當年幾乎給學校踢走的自己年齡相若，有的生活和讀書壓力都大，放學還要返工；有的則把壓力和動力一併取消，會繼續上學已經不錯，難看見前面的希望。幾多人自覺一事無成，世界畢竟太野蠻不體貼，仿佛反應慢點或不幸點就會隨時淹沒。說看書有助擴闊眼界和想像，認識人和自己在世界的位置，當然對，但盲目吹噓閱讀多好，對根本沒空或與書無緣的人而言，也可以是奢侈又離身的事，只徒添憎厭或自卑。有時不小心這樣壓了人，想起就覺得不應該。

然則「世界閱讀日」又有何意義呢？退一百步想，閱讀說不定像吃橙，好味、便宜、有益，喜歡吃橙的人都知道，但世上就是有人不吃橙。都是緣分。

《明報》　二〇一七年四月廿三日

《異鄉記》的未完之夢

因緣際會，去年因訪問之故，造訪宋以朗先生家跟他聊天，後得知他有意找人將張愛玲《異鄉記》改編成舞台劇，聽時無甚反應，回家路上卻浮想連翩：如能藉此聚合我那許多在不同藝術範疇各具才華的朋友和新舊學生，一起學習，互相成就，大概是件有意思的事。

但我既非張愛玲迷，為何要改編她的作品呢？把《異鄉記》重讀了一遍又一遍，我發覺，觸發她寫此書的雖是愛情尋覓，但當中呈現的，卻是更普遍的處境：誰都生活艱難，但有些艱難較易被理解，有些則不單難得同情，甚至根本無從表達，尤其如她這種讀過那麼多書又心思細密的人，內在世界豐富深刻，肉身卻日復日在現世打轉，與人面對面，也隔萬重山。獨特眼光總是雙刃劍，雖能見人所不能見，卻往往注定成為社會的異類，格格不入。在這世界，有時庸碌過活容易，真有盼望和追求，反注定孤寂。但再想深一層：人生又是不斷追尋，抑或一開始已是倒頭栽？為此，我跟各同伴也走進異鄉，做起戲劇來。以下先說《異鄉記》，再略談改編經歷。

張愛玲在〈紅樓夢未完〉提及的人生三恨中，「鰣魚多刺」和「海棠無香」都非她原創，她對「紅樓夢未完」一說更不無疑惑。張愛玲自己又有未完之稿嗎？《異鄉記》這部自傳體小說在她生前從未發表，原文寫在一本筆記簿，一直放在好友宋淇與鄺文美家中的一個膠袋內，到第八十頁的一句對白中間戛然而止，不知是沒寫完，還是接續的故事寫在別處下落未明。現存這三萬餘字，是張愛玲一九四六年到溫州找胡蘭成的見聞，原稿至二〇〇三年給宋以朗發現了，二〇一〇年出版，收錄在皇冠新版《對照記》。

書雖從未出版，張愛玲在五十年代初卻跟鄺文美說：「除了少數作品，我自己覺得非寫不可（如旅行時寫的《異鄉記》），其餘都是沒法才寫的。而我真正要寫的，總是大多數人不要看的。《異鄉記》——大驚小怪，冷門，只有你完全懂。」為何這樣重要呢？是因為寫自己最刻骨銘心的經歷，因為真實？

八年抗戰結束，漢奸胡蘭成須遁隱鄉郊，當年廿六歲的張愛玲隱藏身份到鄉下找他，途上委曲可想而知。張愛玲雖曾離鄉到香港升讀大學，但在《異鄉記》可見，溫州之行對主角沈太太而言，跟先前的旅途極不相類。開頭寫火車站就隱隱有種悲壯：「我從來沒大旅行過，在我，火車站始終是個非常離奇的所在，縱然沒有安娜・凱列妮娜臥軌自殺，總之是有許多生離死別，最嚴重的事情在這裏發生。」此行既不能事事講究，也肯定更不由自主。主角形容的鄉民雖有質樸的一面，亦不無愚昧貪婪，她猶如林黛玉初入大觀園，不得不小心翼翼，心情或更似賈寶玉入太虛幻境，只覺荒唐如夢——宋以朗在書中前言作注謂，原稿經過塗改，隱約可見最初的題目是「異鄉如夢」。

讀《異鄉記》時的確偶爾聯想到《紅樓夢》。例如第四節寫沈太太待在鄉間，見人磨米粉春年糕就說：「兩手搏弄着一個西瓜大的熾熱的大白球，因為怕燙，他哈着腰，把它滾來滾去滾得極快，臉上現出奇異的微笑，使人覺得他做的是一種艱苦卓絕的石工——女媧煉石，或是原始民族的彫刻。」為甚麼偏要是女媧煉石？先前已寫到她遲遲未能啟程到下一站，在鄉郊等待百無聊賴，全無遊興，卻被拉去遊湖。此節提到的節慶準備更原始，沈太太只有更多搪塞，完全是個多餘的人，正如她在散文〈華麗緣〉結尾說，在鄉下看戲的人全像一點一點構成了圖畫，只有自己沒地位。

這境況，不正如《紅樓夢》裏女媧多造的那塊石頭，或四不着邊一無用處的賈寶玉？《異鄉記》此節又以磨米粉結束：「已經倒又磨起米粉來了，『咕呀，咕呀，』緩慢重拙的，地球的軸心轉動的聲音……歲月的推移……」由當下扯到大荒，這種在時空裏跳躍的能力，也是主角自我解脱的方法吧。不過，到了第十一節，沈太太仍滯在途上，汽車還要壞了：「下起雨來了，毛毛雨，有一下沒一下地舐着這世界。我有一種奇異的感覺，好像是《紅樓夢》那樣一部大書就要完了的時候，重到『太虛幻境』。」

現存的《異鄉記》在此處也快完了，到第十三節就中止，不知道沈太太的歸根結局如何。張愛玲後來寫《秧歌》和《小團圓》都參照過《異鄉記》。《小團圓》對時空特別敏感，寫盛九莉初識邵之雍一節，其實早預示了這趟溫州之行。當邵之雍説過幾年會去找盛九莉時，小説謂：「她不便説等戰後，他逃亡到邊遠的小城的時候，她會千山萬水的找了去，在黃昏的燈影裏重逢。」當然，我們知道現實中，這重逢並不見得美好。從這角度看，《異鄉記》突然中斷或可視作完美結局，總在途上，永在夢中——畢竟，現實可能才是另一場更大的噩夢。張愛玲十八歲時在〈天才夢〉説：「總而言之，在現實的社會裏，我等於一個廢物。」世界原是異域，筆記這三萬餘字，根本是異鄉記裏的異鄉記。有些人覺得張愛玲文章刻薄，對人少憐憫；可能是的，但我覺得她至少以同樣態度對待自己，因為看見實相，最後往往仍是自傷。

改編劇名為《他鄉》，蒙宋以朗先生授予版權，將是張愛玲《異鄉記》首次劇場改編。說起來，我第一篇在報章刊登的文章其實就是劇評，那段日子鍾情讀劇本，常看演出，輾轉之間，今日竟輪到自己做一台戲給人觀看，可見世事果真難料。評論跟創作自然大異，暫時的最大學習，是如何不被張愛玲充滿魅力的文字牽着走，減少自己安逸的餘地，放膽闖進陌生的異鄉，不斷放棄文字而靠近劇場，希望營造一個荒謬世界，以及主角的有口難言，內外交戰。她要尋覓的愛情或許沒着落，在途上卻對命運、對艱難、對安穩生活有所感悟，同時發現了打動她使她溫暖的事物，不至迷失於廣漠之中。演出立意要大驚小怪和冷門，做得到，才算無愧於張愛玲。

《明報》　二〇一五年六月十四日

我看《愛玲說》

劉紹銘先生說，他跟張愛玲除多次通信外，也有一面之緣。那時張愛玲正在美國，照顧癱瘓在床的丈夫賴雅，囑劉紹銘等幾個後輩代她謀差事。我跟劉先生亦有一面之緣，當時還得贈他寫張愛玲的著作。

兩週前得中大出版社贈劉紹銘新著《愛玲說》，新聞稿說此書「全面解讀中年張愛玲」，是我有興趣的題目。看了幾篇，似曾相識，找出他八年前送我那本《張愛玲的文字世界》一對，過半文章原來重複。《愛玲說》我不算鍾愛，但覺得今年八十一歲的劉紹銘，在書中呈現對前輩的愛護之心，以及不知老之將至的頑童氣色，都很可貴。恭維不是恭敬，報答前輩的最好方法就是認真讀其書。以下先指瑕，後引申到另外兩位論者對張愛玲的評價，回頭看《愛玲說》的意義。

《愛玲說》分甲乙兩輯，重心當然是寫張愛玲的甲輯，但這也正是小疵所在，不知應說編輯不周，抑或是題目相近的文章結集時易生的問題——我讀書時，拿筆在邊旁寫了幾遍的正是：「重複」。文章單篇出現在報章時，部分內容就算跟前作相近，讀者也不一定記得；編為一冊而不刪削，便失累贅。

重複的不是一兩觀點，而是一段段類近的文字。例如，寫張愛玲晚年，多會提及她如何深居簡出，外人又如何窺探她的私生活，鬥智鬥力。經典例子，自然是戴文采受託訪問張愛玲，不得其門，結果租住她公寓隔壁房間，待她倒垃圾後撿拾端詳。這例子先後出現在〈課室內的張愛玲〉、〈愛玲小館〉及〈傳奇的誘惑〉三篇，頭兩篇還同樣引述了張小虹「嗜糞」及「戀屍」等形容。唯第一篇的好處是多出一句，因其徹底無聊而有幽默效果：「經戴文采的報道，現在我們知道奶奶愛用甚麼牌子的肥皂：Ivory 和 Coast。」

另一重複的地方，是究竟能否拿張愛玲在散文的話當真。問題有意思，因這既牽涉文類的預設，也關乎她如何在寫作中營造自我。《愛玲說》中〈張愛玲的散文〉、〈張愛玲的知音〉和〈另類張愛玲〉三篇，都先後提到這關乎真假的問題，回應頗類近，就是引錄張愛玲散文〈童言無忌〉的同一段話，引申想法卻並不多，故顯得拖沓而少進深，雖然我也同意她那段文字精巧的話實在合用——十二歲時，張愛玲一個同學在宿舍跟她說：「我是同你很好的，可是不知道你怎樣。」張愛玲這樣寫：「因為有月亮，因為我生來是一個寫小說的人。我鄭重地低低說道：『我是……除了我的母親，就只有你了。』她當時很感動，連我也被自己感動了。」

《愛玲說》一處資料有誤。開篇〈張愛玲現象〉寫夏志清與劉紹銘，在美國對落難的張愛玲先後施以援手，古道熱腸。如夏志清在六十年代末，便穿針引線，使她得在柏克萊加州大學任研究員，負責解釋中共政治術語的專有名詞，上司是老前輩陳世驤。她不單跟人關係不好，劉紹銘說：「偏偏那兩年情形特殊，就是沒有新名詞。」時也命也。結果？當然是丟失工作繼續落難：「她在『中心』工作才兩年，就給陳教授解聘。」但之後的〈張愛玲的知音〉提及同一經歷卻說：「據說陳教授對她的表現很不滿意，但因愛才，也沒有難為她。一九七一年五月陳世驤因心臟病逝世。事隔一月，張愛玲便被解聘了。」哪個版本才對呢？劉紹銘在舊作《張愛玲的文字世界》其實早就解答了，因高全之讀〈張愛玲的知音〉後，曾致函謂，「陳教授解聘張愛玲在前，過世在後。」〈張愛玲現象〉是劉紹銘近作，寫時資料已更正。〈張愛玲的知音〉是舊文重刊，不小心沒訂正過來。

至於劉紹銘對張愛玲著作的評價，如謂以小說藝術言，「〈封鎖〉、〈金鎖記〉和〈傾城之戀〉已達至境」，以及認為她一九四五年後的作品水準都不如前作，我都不贊成。劉紹銘重視她早期小說那些「兀自燃燒的句子」，在其他文章亦重申她那些險句的精巧，但我正覺得以此衡量張愛玲，容易見樹不見林。

在我看過的香港評論者中，對張愛玲作品的評價，我較同意馮晞乾及博客「書之驛站」的作者馬吉。我至今仍認為馮晞乾的〈初評《小團圓》〉是香港不可多得的文章，一天未有這水平的評論，《小團圓》的意義也注定是殘缺的。文章從他看英瑪褒曼《秋日奏鳴曲》的經歷開始，以張愛玲對李商隱和褒曼（Ingmar Bergman）的評語作結，把她和《小團圓》安放在最恰切的網絡下，顯見其人其書的意義。馬吉較重視的可能是版本和資料輯錄，但零星的文學評論，眼光往往精準，如他的〈再說《小團圓》〉，便謂張愛玲在書中寫出了人心與整個社會和時代的衰敗，她對此雖然唏噓，卻畢竟懷緬。

馮晞乾和馬吉對張愛玲小說的評價相近，都認為張愛玲離上海後的小說，較〈傾城之戀〉等少作為佳，文句也由鋒芒畢露而轉趨平淡自然。馬吉認為她最好的是《秧歌》，然後是《小團圓》。最近發現馮晞乾則以《小團圓》居首，《秧歌》第二，跟我相同。

我認為就寫作自覺，以及借小說獨有形式在時空中跳躍這兩點而言，《小團圓》是唯一貼近西方一流小說的中國現代作品。以電影為喻，張愛玲是把儲了大半生、長度是五十五年每年三百六十五日每日廿四小時的毛片，剪輯成三百餘頁的一部書，為許多前因後果重新牽線，在那時空駁雜的虛構世界，探索自己究竟是個甚麼人，人生又在說一個怎樣的故事。繼續以電影為喻，可類比的或非《秋日奏鳴曲》，而是塔可夫斯基同樣關乎母親的《鏡子》，由最個人的回憶側寫時代的質感。回頭一看，又是多少內疚，多少惘然！要「全面解讀中年張愛玲」，《小團圓》自不能輕輕放過。

《愛玲說》有幾篇討論張愛玲著作的翻譯問題，文章用心，可說是傳統寫法。這倒使我想起馮晞乾更使人驚喜的〈評〈色，戒〉法譯本〉，收於去年《現代中文學刊》第四期。我不懂法文，卻讀得津津有味。文章指出法譯本的二十處誤譯和漏譯，比較〈色，戒〉法、英、德、意譯本，點出看似平白的「易太太是在自己家裏，沒穿她那件一口鐘，也仍舊『坐如鐘』，發福了」幾句，此鐘與彼鐘這些俏皮話為何難以翻譯。更有趣的例子，則是〈色，戒〉提及一句諺語時謂，「據說是民國初年精通英文的那位名學者說的」，譯做法文，意思成了「據說是民國初年精通英文的那位著名邏輯學者說的」。邏輯學者？知道「名學」為何物的人，讀後自然會心一笑。馮晞乾說：「諷刺的是，很多中國人也未必知道『名學』的含義，只要佩許納女士的中文水平稍低一點，就完全可以避免這個小錯誤了——譯者所以犯錯，居然因為語文知識太豐富，實屬不幸。但另一方面，她既將『名學者』譯為"logicien"，那麼之前的"célèbre"（著名）又從何而來呢？原文明明又不是『名名學者』。」這些切入點和發現，較討論譯筆是否地道，無疑更富趣味。

劉先生跟張愛玲有私交，有只有他才能寫出的片段，文章親切、率真，提到不少張愛玲軼聞，易使人對她感興趣，更明白她的際遇跟著作的關係。如〈愛玲「原罪」說〉等篇，更就「文化漢奸」張愛玲的一些文章補回重要的歷史脈絡。他在文末的一段話，淡然也公道，只可惜最後一字誤植為「賬」：「她人不可愛，但作品確有魅力。不是盛名之累，不會有人一天到晚給她翻舊賬。」

《明報》　二〇一五年七月五日

人離鄉賤——重讀《秧歌》

月初主持了「你不知道的張愛玲」講座，馮晞乾説到張愛玲不少鮮為人知的故事。他協助宋以朗先生整理張愛玲未刊稿，包括她在美國時的筆記本，字跡難辨，中英夾雜，有不少生活觀察，其中一段我印象特別深刻：「街上（又一次 Ohio U. bookstore）忽聞喚 Eileen，知不是我，幾乎不必回頭，實 assailed by devastating 寂寞，indignation，怎無人知我名。」首句撇除括號內容，有點像唐詩，想來此二十餘字根本是七絕，由引發到失落，充滿孤憤。張愛玲早就成名了，可惜名氣不隨身，美國人自然少理這位 Eileen；在大街一回頭，可能又回到港大那個等待大考的早晨。

或跟張愛玲的經歷有關，我覺得她寫飄泊浪蕩、格格不入的片段總是出色。舉她在五十年代的《秧歌》為例，兩個「異鄉人」落泊的畫面，讀後都久久不去。

《秧歌》主要寫土改後，農民因飢餓搶劫政府糧倉，被共產黨幹部與民兵射殺，幹部終説了一句「我們失敗了」。農民主角下場悲慘，故事就在秧歌的鑼鼓裏結束。張愛玲在〈憶胡適之〉引錄自己寫給胡適的信，謂因怕故事太平淡，不合中國讀者口味，所以發奮要用英文寫。一九五二年她再到香港，稿件得美國新聞處賞識，後來才用中文重寫——當然也因為人在異鄉，方可寫這題材。

我說的兩個「異鄉人」，一個是農民金根。他太太月香在上海幫傭，因為想念，也因為懷疑與慚愧，金根出城去探望月香：「處處人都欺侮他，不是大聲叱喝就是笑。」到跟月香重聚，張愛玲接下一段是這樣寫的，不再是色彩斑斕的蒙太奇，而是一個攝影機靜止不動的長鏡頭，人在鏡頭前自出自入。因後段特別提到其時雨水多，背景應有淅瀝雨聲：「她一有空就下樓來，陪他在廚房裏坐着，靠牆擱着一張油膩膩的方桌，兩人各據了一面。她問候村子裏的人，和近鄉所有的親戚，個個都問到了。他一一回答，帶着一絲微笑。他永遠是臉朝外坐着，眼睛並不朝她看，身體向前傾，兩肘撐在膝蓋上，十指交叉着勾在一起。他們的談話是斷斷續續的，但是總不能讓它完全中斷，因為進進出出的人很多，如果兩人坐在一起不說話，被人看見一定覺得很奇怪。金根向來是不大說話的，他覺得他從來一輩子也沒說過那麼許多話。」文字平白，無警句，卻見城市空間和那一點點體面，如何束縛着二人交往，不得不在不宜親密的地方顯得親密。

金根順道出城找工作，但沒着落，賴着只會使月香為難。他拿着月香的錢，買車票走了：「來這麼一趟，完全是白來的，白糟蹋了她辛苦賺來的錢。買票剩下來的錢，他給自己買了包香煙。自己也覺得不應當，但是愈是抑鬱得厲害，愈是會做出這種無理的事。」城市果然不屬於他，此章結尾如是說：「外面下着雨，黃灰色的水門汀上起着一個個酒渦。他的心是一個踐踏得稀爛的東西，黏在他鞋底上。不該到城裏來的。」上一句還是酒渦的可愛，下一句便是踐踏的殘酷，簡單對照使我們明白，金根跟上海，果然互不相容。回鄉是出路嗎？待他和月香都回鄉了，在秧歌隊演習的鑼鼓聲裏，更嚴重的故事才真正開始。

另一個「異鄉人」，則是隱身於故事背後的張愛玲。張愛玲和農村生活看來也不相容，《秧歌》寫成後受人質疑，似乎理所當然。《秧歌》的〈跋〉解釋故事來源，是從「三反運動」中《人民文學》裏一位青年作家的自我檢討所引發，因他在老幹部說「我們失敗了！」之後，一時立場不穩加以附和，感到革命理想破滅的悲哀。由此可見《秧歌》故事非向壁虛造，印證張愛玲自言愛好真實到了迷信的程度。

不過，這只為《秧歌》的故事大綱溯源，並未解釋農村的肌理與質感從何而來。〈跋〉隻字未提張愛玲一九四六年找胡蘭成的溫州之行，以及記錄途上見聞的《異鄉記》。這半年因把《異鄉記》翻閱多遍，今回重讀《秧歌》，一眼認得哪些對農村的描述，是從《異鄉記》一段段抄過去。例如《秧歌》首章，形容那鄉下小鎮一商店的玻璃櫥裏，牙膏紙袋上印有五彩明星照片：「李麗華、周曼華、周璇，一個個都對着那空空的街道倩笑着。不知道怎麼，更增加了那荒涼之感。」《異鄉記》早記錄了此段，只是用的不是全知視角，而由故事中的「我」來觀看，所以眾影星實非對着空街微笑，對面還有一個無人認識的張愛玲。五十年代李麗華曾在香港約會張愛玲，據説張愛玲讓李麗華見過自己的面，沒留下來寒暄就走了，除因生性不喜交際，跟幾年前這荒涼畫面不知有沒有關係。

前段提及的金根與月香看來真有其人，在《異鄉記》第七章出現過，此時他們還有飯吃，總算生活無憂：「金根先吃完，他掇轉椅子，似乎是有意地，把背對着月香，傴僂着抽旱煙。始終不説話，看着他們，真也叫人無話可説。」最少是《秧歌》主角的原形。對比《秧歌》寫他們窮得難得吃稠粥，給安排在上海人來人往的廚房裏沒話找話説，更見張愛玲從生活觀察轉化出故事的能力。

不是溫州之行，張愛玲也未必這樣觀察農民，落差巨大，注視到否則永遠不會被記錄的畫面，近乎梵高畫中的那對舊皮鞋。《異鄉記》這樣寫金根：「男人做好了一隻籃子的柄，把一隻腳踏進去，提起了柄試試。很結實。走過的人無不停下來，把一隻腳踹進去，拎着柄試一試。試完了，一句話也不說，就又走了。」張愛玲看來很滿意這幕默劇，將之移植到《秧歌》去，小說中的生活感，就是從這些細碎片段點滴累積。

為作品尋得真實的基石固然好，緣起卻是張愛玲無奈成了「異鄉人」，在鄉間飄泊浪蕩。鄺文美曾讀《異鄉記》，張愛玲說：「讓你看了我的筆記，我心裏輕鬆了一點，因為有人分擔我過去的情感。」最後謂：「你說看了覺得心疼，我很高興——寫悲哀的事，總希望人家看了流淚。」張愛玲的有口難言，實不限於浪跡鄉間時須隱姓埋名，和農民格格不入；《異鄉記》跟《小團圓》一樣，生前都不能出版。重讀《秧歌》〈跋〉的結語，不免覺得耐人尋味：「這些片段的故事，都是使我無法忘記的，放在心裏帶東帶西，已經有好幾年了。現在總算寫了出來，或者可以讓許多人來分擔這沉重的心情。」不有點像她跟鄺文美說的話？這裏說的，真只是《秧歌》？

《明報》　二〇一五年八月廿二日

外向的文學——重讀《浮光》

科學那麼強大，進步又快，如何能為日益邊緣的人文學科辯護，說說文學和藝術對人的價值？這是一位朋友數月前的問題。這麼宏大，自然不懂回答，但因那時台灣作家吳明益來港到中大演講，便叫朋友不妨讀讀他論攝影的《浮光》。恰巧昨天在《聯合文學》六月號，見攝影師汪正翔訪問吳明益，題為〈我的相機放在包包裏〉，為《浮光》添補了注腳。吳明益說，寫《浮光》不是為了特殊的文學形式，也不是為了寫攝影，而是為了寫小說《單車失竊記》，因書裏有一個角色是攝影師，便到圖書館研究起攝影來。

這種虛構與真實的因緣，令人羨慕，仿佛為了文學，奮力把自己一推，就多了一門專業，正如他為寫《單車失竊記》，成了台灣舊單車的收藏家。當然，吳明益本身鍾情攝影，也一直喜歡自然生態，「大自然」跟「人類觀察底下的大自然」難分難解，攝影的發展對此影響極大，難怪《浮光》用了許多篇幅討論攝影史：一面是科技發展，一面是文化選擇，都左右我們觀看世界的方法。

《浮光》分六章，每章設「正片」和「負片」兩部。「正片」處理攝影史，也討論人與自然的互動史，頗宏闊，版圖主要是歐美。「負片」較個人和細膩，寫他學習攝影的歷程，地點變成台北舊日的中華商場，及深夜時不知名的街角，可說以攝影為中心，扣連最大與最小。

我不懂攝影，兩年前讀《浮光》，感覺獨特。書的設想與懷抱，並不多見於中文書，論攝影，卻不僅從理論或文化入手，而運用大量演化和生物學的知識，借其強大的解釋力為論題建立基礎，再回到人文面向。這種跨領域的寫法，頗像外國一些益智暢銷書，但此書的特點，是沒讓研究和知識壓低感情，寫出了非常個人和真摯的段落。文筆好的科學家不會這樣寫，抗拒科學的文學家也寫不出來。

《浮光》的文字，多是步履沉穩的描述，然後到結尾一跳而富詩意，流露對世界的哀歎或提醒。有些推論可能側重於科學解釋，但因其寫法上的文藝，便產生了微妙的張力，例如首章論夜間活動野生動物，或被捏暈的蝴蝶兩段。

且借首章〈光與相機所捕捉的〉，說明《浮光》的寫法。在「正片」，吳明益先從銀版攝影法說起，主軸是攝影如何幫人了解大自然的原理，一八四〇年，便有人拍攝到首張月球的照片。稍後，自然提到麥布里奇（Eadweard Muybridge）用十二部相機拍跑馬的傳奇故事：的確有四腳離地的一刻，卻不是前後伸直。但此章最精彩的，是寫夏伊拉斯三世（George Shiras III）之處，因為他，人類首次拍攝到夜間活動的野生動物：「由於相機觸發的瞬間，動物被驚嚇而立即想要逃離的反應，讓照片充滿一種暗中窺視與緊張氣氛的動態感。另一些照片，則是動物被強大的光源照射得短暫喪失視覺，仍靜靜地站在水邊，展露軀體的優雅，仿若希臘神話中的森林之神。」說的本是攝影科技的進步，創造出新的視覺經驗。但「森林之神」的比喻，不也在暗示，我們實難擺脫文化的連繫和聯想？此部末處即從攝影技術的發展，轉向美學與倫理的考量：生態攝影究竟是侵害，還是愛？

「負片」承繼議題，但換了一種更個人的筆調，談論攝影與情感的關係，進路頗曲折，由吳明益服兵役時的拍攝經歷，引申到一些攝影師如何為了佈置構圖，把蝴蝶捏暈放在花上：「略懂蝴蝶生理反應的人都知道，如果稍微用力捏住蝴蝶的胸部，幾秒鐘後牠就會因為血液循環與呼吸受阻而暫時失去行動力，就像暈了一樣。不過，如果使勁不當，就會聽到牠的胸部碎裂的聲音。」吳明益曾著《迷蝶誌》，熟悉蝴蝶生態，這裏由靜態的畫面聯繫到聲音，同樣是指間的「咔嚓」，卻不是照片之生，而是蝴蝶之死。他跟汪正翔的訪談，這樣歸結生態攝影的痛苦：「到最後拍生態的人常會走向兩個道路，一種是狂熱追求美麗的照片，像獵物一樣，一種去參與生態運動。」愛是甚麼？不易回答，但吳明益繼以科學家哈洛（Harry Harlow）恆河猴的實驗，說明愛之需學習，最後寫到自己到柬埔寨旅行時拍下的一個女孩的眼神：「而後我們發現，我們被照片注視着，我們曾經以相機之眼對準照片裏生命的時間僅有一瞬，而他們的眼卻凝視我們一輩子。」攝影不單是愛的投射，反過來也是情感教育。

首章比上述的遠為豐富旁雜，讀書時就偶有看幻燈片的感覺，有時提及的攝影師或作品只是驚鴻一瞥，未及進深討論，唯其觸類旁通卻不時教人驚喜。全書最打動我的是〈對場所的回應〉之「負片」，寫得最緊密，承《空間詩學》的啟發，靠回憶和他十九歲時拍下的幾張黑白照，重塑已拆卸的台北中華商場。那是他的舊居，也是他前一本小說集《天橋上的魔術師》的場景。其中一張相片，則是他尚未出生時幾個兄姐正在鞋舖吃飯，很能展示家庭照的特質——凝下曾經那一瞬，記錄了否則沒法看見的家人的年歲，而尚未出生的自己，卻沒有任何原因一定會投進他們的世界。

但這種跳脫的寫法也有不利。今回重讀，便覺得末章〈論美〉雖然提出了很多關於「美」的有趣看法，或從演化入手與生存掛勾，或以人類學例子點出與愉悅的關係，但總括而言似乎少了作者更強的判斷，且尤其輕忽文化和價值系統的影響，觸及較淺的一層，卻無法捕捉美之為美這現象，不知跟配合全書跳脫的寫法有多大關係。

吳明益在中大的演講，異常清晰地談到他對文學前途的想法，如認為不久之後，中港台大學的中文系，將縮減成某種古語言的學系，讀文學的人須擴闊範圍接觸世界，否則必被有文學觸覺的科學家遠遠拋離。簡言之，是覺得文學需更外向，作家要成博學家，兼有一兩門專精的行當。他跟汪正翔也談到，寫作不能脫離真實的世界：「這就像文學只關注文學本身的價值，那你怎麼奢求人家來讀文學呢？我們怎麼奢求文學在日常之中？又譬如近年來讀文學的人愈來愈少。一方面這是合理的發展，但另一方面當文學愈來愈專業，這就跟五四以來的解放有一點背道而馳。」因為他身體力行，這樣的話別具說服力。不是很多人如他剛健，但看見還是很鼓舞，因他示範了虛與實的著作能如何互相激發，研究能怎樣輔助創作，而且總要綿長的努力，成如容易卻艱難。

《明報》　二〇一六年六月十二日

重讀《文學的視野》

有次到台北故宮博物館，走了不久，在人海中忽有感悟：香港有虛白齋真好，最少那裏比較靜。感謝劉作籌先生，使香港有這珍貴地方，觀者雖不多，很多時甚至冷清，但好處是誰都不趕來看寶物，雖然面前明明就是沈周唐伯虎文徵明。

虛白齋兩年前曾展出幾種石濤畫作，有幸得見〈翠蛟峰觀泉圖〉，及張大千在旁邊一大段精神的題識。《宋元吟韵冊》印象也深，因其中一冊頁，用元人黃庚林詩入畫，二人泛舟湖上，隸書題詩：「秋水春雲萬里空，酒壺書卷一孤篷。多情最是閒鷗鷺，留得詩人作釣翁。」詩名〈水雲居〉，沒讀過，瞬間只想起佘汝豐老師〈雨後村行即事〉末二句「多情最是溪邊草，不放山翁踏石回」，便一併抄在筆記。

最近因找資料重讀胡菊人先生的《文學的視野》，明窗出版社一九七九年出版，封面雅淡，出王司馬手，湛藍底色上有三棵樹；立論公道，文字耐看，結果還是整本重讀。讀篇首〈論新詩的幾個問題〉發現，胡菊人幾十年前也看過石濤這《宋元吟韵冊》，自謂崇愛石濤，卻覺得此冊「畫不及詩」，因畫並無詩中動態，進而討論詩藝的種種。當然，他見此冊頁之處，不可能是藝術館的虛白齋，七十年代不單尚未建成，劉作籌甚或未有捐贈藏品之意，故文首是說「曾讀劉作籌先生藏《宋元行吟圖》」。不知今年八十開外的胡菊人，會否還記得那趟看畫的故事。

《文學的視野》自序首句云：查良鏞先生要為我出一部書。之後幾行說，文章主要是一九六五至一九七五這十年間寫成的。這人和時間都重要。查良鏞在一九六六年創辦《明報月刊》，後來自言當時決心是「和文化大革命對着幹」，初期親任總編，兩年後即找來胡菊人接任，凡十三年，至一九八〇才由董橋先生繼任。書中所錄文章，就在文革期間寫成。首部分如〈香港青年中文大退化〉及〈洋化中文之害〉等篇，都是對中文現況與前途的關懷：「『這是一個美麗的早晨』，不如說『這是個美麗的早晨』，更不如說『這是美麗的早晨』，復不如說『這美麗的早晨』、『美麗的早晨』」。其實句子也不一定愈短愈好，要視乎目的和風格；但胡菊人此處專就冗句而論，想中文更像中文，才力求洗鍊。這是吹毛求疵嗎？想起不久前讀報，見中大中文系高級講師歐陽偉豪謂「優化」等語沒問題，因為「『優』字屬第一聲，讀起來較『改善』來得鏗鏘，『優』又有優秀、優異之意，中文系教授也會使用」。我認識的中文系教授倒比較自重。但見此歪理，益覺上一代人那種擇善固執尤其可敬，此中端賴學力和品味，能違背潮流，指出向上一路。

論新詩，胡菊人每舉古典詩話參照，如論紀弦的〈太魯閣〉，詩的首段如此：「進入山中，乃得到一種靜。不是靜謐，不是寂靜，或甚麼靜悄悄的之類，而就是一種東台灣的靜。」胡先生謂不耐咀嚼，雖用靜、謐、寂、悄等字，仍不覺其靜，於是借力於宋代《詩人玉屑》「一曰高不可言高」那「十不可」，點出關鍵。但我最喜歡的是此文結語，舉重若輕：「現代詩有成就，而紀弦先生也一定有別的許多好詩。」舊體詩不見得就無懈可擊。胡菊人接下來列舉同出一意的四句詩，都說白髮如霜，喝了酒臉紅，倒像青春幾歲。意象和對比相同，但四句寫來還是有高下之分，他便解釋白居易的「醉貌如霜葉，雖紅不是春」和蘇東坡的「兒童誤喜朱顏在，一笑那知是酒紅」，所以遠勝鄭谷「衰鬢霜供白，愁顏酒借紅」之處。這就是評論的層次。

《文學的視野》的時代色彩，尤見於〈評郭沫若的杜甫觀〉。一九六五後有六年多時間，中國大陸除毛澤東及純技術性的著作外，沒出版過任何新書，到一九七一先有章士釗特批出版的《柳文指要》，繼有郭沫若的《李白與杜甫》，首批書到港後數日即給搶購一空，因那是了解文革後學術文藝方向的指標。郭沫若狠批自己一度推崇的杜甫，原因據說很無聊：毛澤東不喜杜詩。於是，郭沫若便用盡各種方法，證明杜甫

「完全站在統治階級、地主階級這一邊」，連屋頂被大風吹走，也只想到「寒士」那堆讀書人，眼裏根本沒有人民。

胡菊人這樣說：「筆者既非共產黨，亦非革命家，並無清查一千二百多年前的人的家產的興趣，但筆者讀書求知，原是為了求真，有人講了與事實不符的話，便自覺有責任去辯正。」這長文花工夫理清史實和詮釋詩句，還杜甫公道，也替被郭沫若中傷的馮至和蕭滌非辯護。郭沫若譏諷馮、蕭二人未遍讀杜詩，竟不見杜甫如何耽嗜佛道，脫離人民。胡菊人除指出郭說誇大其辭，也點出二人為何欲言又止，文字顯見他深知其時在大陸治學之曲折，有很大同情：「他們所以盡量輕減杜甫的道佛思想者，乃是他們愛杜心切，因為一談及杜甫有佛道思想，按中共馬列唯物觀就通不過了。這是教條主義下學術未能全真的悲哀。」一面是張狂一面是壓抑，無學術自由，休想平平正正做學問。可想像，此文發表後必引起爭議，胡菊人於〈自序〉謂，文化界即有人說他寫不出那樣的文章，一定是徐復觀先生託名發表。他謂確曾把文章給徐復觀和牟潤孫兩先生過目，有趣的是二人的一問一答：「牟先生看了，只有一問題：為甚麼引《玉海》？」徐先生答：「為甚麼不能引《玉海》？」乍看叫人摸不着頭腦。牟潤孫是史學名家，覺得宋人王應麟編的這部類書不宜引用，因為是二手材料。問題彷佛瑣碎，卻見其人治學之謹嚴。

但比〈評郭沫若的杜甫觀〉引起更大反應的，則是書中〈魯迅在三〇年代的一段生活〉。胡菊人自言欣賞魯迅，卻對中共鼓吹的魯迅膜拜不以為然，乃比對資料，揭露魯迅於一二八事變託庇於日本人的歷史。魯迅平日勤寫日記，此處卻可疑地「失記」幾天，於及後的書信也説了假話，研究者又着意掩飾。為了「全真」，胡菊人試圖還原歷史，指出魯迅的狡黠，但也盡力理解他其時的心境。雖然寫得用心，但文章刊載後，還是得到「別有用心」之批評，〈自序〉便謂此文挨人天天斥罵達兩個月。

跟胡菊人的專著《小説技巧》和《紅樓水滸與小説藝術》不同，《文學的視野》是雜論，或予人龐雜零碎之感，易被看輕。但舉牟潤孫先生為例，《注史齋叢稿》與《海遺雜著》均非專著，「叢稿」與「雜著」只為名副其實，卻原是對思想史的另一重深刻整理。胡菊人以「文學的視野」為書題，氣象宏闊，但這類題目一不小心便落入空談，欲窮千里目只成妄想。他在書中即事窮理，一磚一瓦地建立知識，使人拾級更上層樓，登高望遠。

《明報》二〇一五年十一月十五日

賈寶玉與蠟筆小新

《紅樓夢》最好的評論自然是脂硯齋的批語，好起來時高山流水，忘我者如第三回某處，便繞過原文自顧自說笑話去。再讀高鶚續寫的後四十回頓覺失色，雖說梗概應早由曹雪芹草定，行文節奏卻太像趕收工，匆匆要為眾人分派結局，情節、情節、情節，完，未免煞風景，頗異於頭八十回那無事驚心的從容，胡菊人的《紅樓水滸與小說藝術》對此有扼要批評，「雲端的冷笑」一節甚有王國維的悲劇感，很動人。

孫述宇在《小說內外》的短文〈《紅樓夢》的傳統藝術感性〉也寫得好，語氣安閒，但要看得通透，才能抵住積累下來的定見，說出較有原創性的話，而又不為標新。他說年青人會覺得《紅樓夢》充滿缺憾：「書中幾個最重要的角色都只有幾分像人，大半本書——從黛玉入榮府到接近人家說高鶚續貂之處——只說了幾個故事，整體的進展幾乎是沒有的，全篇盡是些不重要甚而不相干的枝節，等等，等等。但從前有些人是可以抱着這書就能過日子的」。孫述宇解釋，元明戲曲大大提高了愛情與女子的地位，《紅樓夢》受此影響，故寫小姐丫鬟用的是戲曲的浪漫主義，總是美化，跟寫男人和婦人的現實主義不同。

他另一觀點，關乎詩在《紅樓夢》的意義。詩出現得這樣頻密，就算不推進劇情，最少也透露各人稟性吧？他反對，謂曹雪芹既在寫一本美的小說，詩尤能增加其可欣賞的總量：「要是詩作與書中人物的身份相稱，當然是好極了，要是不大相稱，也只是小瑕，無傷大雅。至於說這些詩是多餘的、堆砌上去的、使讀者分心的，他們會覺得這樣的批評沒甚麼道理。」我們今日讀小說重視主題和整體，「他們是用遊戲、消遣的心情，拿一段來細細品嘗一下，不急於把小說讀完」。這大概是前段「抱着這書就能過日子」的意思，但現代人普遍不熟詩畫戲曲，對書中的傳統藝術感性，自然阻隔重重。

早前重讀《紅樓夢》，碰巧特別受書中遊戲和消遣的特質吸引。一如平時讀小說，我會在覺得好笑的地方旁邊寫上「哈」，頭八十回便不時有這哈哈的眉批。因賈寶玉年紀小小而色迷迷，有一兩處覺得簡直是蠟筆小新。小新多是口惠而實不至，寶玉較幸福，不單早試雲雨，更總有辦法在夏娃叢中扭來扭去。

寶玉和小新有何共通點？可能是「天真而有邪」。這結合有「矛盾修飾」（oxymoron）的味道，不少小朋友都有這一點邪，可能受動物性影響，或兇殘，或自私，寶玉和小新則是好色。小新平時是天真小孩，有次去買漢堡包，一掏就是張自己畫的千元紙幣。店員問：「這是甚麼？」小新答：「一千元。你不知道嗎？你家裏一定很窮。」視糞土如錢財。寶玉不作詩不意淫時也天真，不過為人樂道的，當然是二人無賴及「有邪」那部分。《紅樓夢》第十九回可作範例。寶玉本到寧府看戲，可惜戲文太喧嘩：「寶玉見繁華熱鬧到如此不堪的田地，只略坐了一坐，便走開各處玩耍。」旁人賭錢的賭錢、猜枚的猜枚，他沒興趣，獨個在府中閒逛，想起這寧府不久前來過，事見第五回。

在幾乎透露了全本小說的第五回，寶玉在寧府玩累了要睡，先給秦可卿領到一本正經的房間，畫是勸人勤學的燃藜圖，對聯是「世事洞明皆學問，人情練達即文章」，寶玉自然不肯，脂批隔空和應：「如此畫聯，焉能入夢」。秦可卿只好把這小姪兒帶到自己房間，房內一股甜香，掛的是唐伯虎海棠春睡圖，寶玉不覺入夢，經警幻教授雲雨之事，與可卿難分難解。到下回襲人幫寶玉整理衣衫：「伸手與他繫褲帶時，不覺伸手至大腿處，只覺冰涼一片粘濕，唬的忙退出手來，問是怎麼了。」不久後，寶玉就真跟襲人雲雨起來，余國藩在《重讀石頭記》尤其重視這以夢遺為幻與真之過度。

從前看亞視播的《蠟筆小新》，最深刻的一集也關於夢，夢境跟現實的聯繫卻不是夢遺。開場是超現實風格，畫面中間有一座極大的水龍頭，關不緊，在滴水，底下一個可憐女孩被怪獸逼至牆角，此時小新化身動感超人將她救出。鏡頭一轉，女孩已脱衣在浴盆中，叫全裸的小新過去一起洗澡。小新急尿，大腿向內扭扭扭，女孩説，在浴盆解決不就可以了。小新跳進去，小便後水色一變，兇惡的媽媽突然從水底冒出，鏡頭一轉，夢醒，原來晚上瀨了尿，小新只好靜靜把濕掉的內褲塞進衣櫃，並將媽媽慢慢推到自己床褥上，再打開水龍頭倒了杯水，淋在媽媽褲上，以便明日諉過於她。再睡，小新在半空看見三位仙女般的泳裝姐姐飄過，最終又急尿，再瀨尿。童話格局般的第三覺，三位短裙少女在招手，小新今次雖已向着馬桶小便，結果仍然是幻，一晚三遺尿，簡直是噩夢中之噩夢，要一次次把媽媽、爸爸和小白推到濕掉的床褥，到翌日自然都給拆穿。這夢應是日有所思的結果。除了心儀的娜娜子姐姐，小新對街上的美女、漂亮新聞報道員、泳衣姐姐、寫真集中的大胸女人都有興趣。水龍頭、美女、瀨尿這組合要多色情有多色情，臼井儀人卻用了若無其事的童稚方法來表現，跟電視旁在大人監視下似懂非懂的小孩單一單眼。

但寶玉比小新更富想像力，對畫中大概並不性感的女子都有遐想。第十九回寶玉無心聽戲獨個在府中亂走，便想起那幅海棠春睡圖：「今日這般熱鬧，想那裏美人也自然是寂寞的，須得我去望慰他一回。」走到那房間，「聞得房內有呻吟之韻，寶玉倒唬了一跳：敢是美人活了不成。」美人竟從畫中走了出來，豈不妙極？「乃乍着膽子，舔破窗紙向內一看，那軸美人卻不曾活，卻是茗煙按着一個女孩子，也幹那警幻所訓之事。寶玉禁不住大叫了一聲：了不得！一腳踹進門去」。這「了不得」和撞門似乎充滿快感，二人嚇得半死，急急跪求寶玉。寶玉着二人快跑，之後幾句曹雪芹寫得幽默，「又趕出去叫道：『你別怕，我是不告訴人的。』急的茗煙在後叫：『祖宗，這是分明告訴人了。』」這應是《家有囍事》末段，毛舜筠在花園大叫「唔好咁大聲呀！唔好俾老人家知呀！」三百年前之先聲。

小新在故事裏不會長大，寶玉則經歷成長，初試雲雨後，先後撞破男、女同志的性愛，情感亦日益複雜。第二十八回，黛玉正如常在呷醋，刻意跟寶玉說起「草木」（寶玉與黛玉）與「金玉」（寶玉與寶釵）等語，寶玉聽見話中有話，便起誓說，要是心裏真有「金玉」這想頭，便天誅地滅。但下一頁，寶玉見寶釵來了，說想看看她那串紅麝香珠，寶釵便從腕上褪下來：「寶玉在旁邊看着雪白的一段酥臂，不覺的動了羡慕之心」。這「羡慕」真妙，使我想起豐子愷漫畫中，一個手抱的小孩，夜裏被光潔的一彎新月吸引，手指月亮，口裏只嚷「要！」。寶玉接着暗想：「這個膀子若長在林妹妹身上，或者還得摸一摸，偏生長在他身上。正是恨沒福得摸，忽然想起金玉一事來」。人不是樹，不能截枝嫁接。明明一頁前方立誓，慾念一起即忘，接下數句，鏡頭便從白手臂升高，給寶釵一個特寫，結論是：「比林黛玉另具一種嫵媚風流，不覺獃了，寶釵褪下串子來遞與他，他也忘了接。」胡菊人說「賈寶玉之大患在求全」，各形態的女子他都喜歡，不能割捨，終成極大的心理壓力。那是很有道理的。

反過來想，還是永遠童稚的小新幸福些？雖也是永遠的實不至，卻少許多選擇的煩惱，不用負責任。色迷迷最多使書中的大人尷尬，但也令書外的大人在苦悶生活裏多了點點安全的諧趣。寶玉的世界，時間如川流逝，小說中人對此半點不比讀者遲鈍，寶玉和女孩都目睹家族和旁人慢慢興盛，慢慢消亡，沒法停下，無從複製。大自然是冬天來了春天不遠，人世卻到處是變幻無常。《紅樓夢》的消遣性質獨立看固然有趣，但各種作詩猜謎的無聊遊戲，卻一直反襯在這惘惘的底色之上，愈尋常而愈黯然——曹雪芹不用說，臼井儀人數年前行山時疑失足墮崖而死，遺下了未完的《蠟筆小新》。

《明報》　二〇一六年六月十九日

試觀此人——重讀李零《喪家狗》

《論語》雖然年代古遠，中學課文〈論仁論君子〉又易塑造出一個開口就是格言的悶棍形象，但我覺得《論語》裏的時代質感，香港人其實不難明白，看似高深的用字也流進了日常用語中。梁振英治下的香港是「禮崩樂壞」。中聯辦肆無忌憚插手香港事務是「僭越」。對當下失望，自然容易把過去想得太過美好，孔子就是終日想着恢復周文。但這世界畢竟是我們唯一的世界，孔子雖欣賞隱者，卻始終未忘改變現實，哪怕受盡失敗和冷嘲。

早前見人傳閱「南昌海昏侯墓尋獲《論語》失落篇」的新聞，才知道海昏侯墓的考古工作。能引起人興趣，我想一來因為那是《論語》，沒細讀過也知道重要。二來「失落篇」這稱呼好像帶揭秘色彩，或如在床下底掃出最後一塊拼圖那樣滿足。三來可能因為如我一樣覺得考古學很有型，只是平時不易親近。三者加起來，使我想起李零。

李零精於考古、古文字、古文獻這「三古」學問，特點是在專著以外，還寫了幾本古籍入門書。手上的《喪家狗》是台灣版，封面富現代感，粉藍底，上下冊平排放，中間可拼出一隻樣子悽慘的大白狗——那就是孔子了，四處流浪，無家可歸。這封面設計，可概括我讀李零著作的印象：跳脫，有新意，能把古書說得通俗，卻不落入鄙俗、媚俗，一意把古籍降格來取悅人，把道理說得像棉花糖。

海昏侯墓發現的是刻於竹簡的《論語》〈知道〉篇，屬《齊論》。《喪家狗》附錄〈《論語》是本甚麼樣的書〉有簡單的背景介紹：《論語》在西漢有三個系統，在孔子故舊宅發現的《古論》用古文（戰國時代的魯國文字）抄寫，《魯論》和《齊論》則用今文（漢隸），後由張禹匯通，成為現在的《論語》。學者對《論語》成書和書中各篇曾有不少猜想，清代的崔述早就懷疑最後五篇的年代，後來如劉殿爵再加以發揮。全篇沒有「子曰」的〈鄉黨〉看來也奇怪，後人才有「《魯論》二十篇唯鄉黨無子曰，《周易》六四卦獨乾坤有文言」那副絕對。李零則不單從文字入手，更重視載體，借其竹簡知識，引考證謂《論語》不同五經般抄在大簡上，而是寫在八寸短簡，屬「袖珍本」，再以郭店楚簡比較，認為《論語》就是從那類語叢中摘錄選編的。

《論語》歷代有那麼多注釋，入門書要詳備很容易，難在精審，作者的判斷須有根據。李零常於一章後比對兩三種解說，選出較合情理和人性的讀法，駁斥許多為孔子形象工程而說的空話。我們都知道孔子說過「唯女子與小人為難養也」，馬棚着火後只問有否傷人而「不問馬」。但一般人很難想像，歷來學者曾就這兩句話花過多少筆墨，證明孔子其實也很重視女性和愛護動物。

李零講解《論語》，不時倚仗其文字學根柢，偶爾也援引簡帛研究。如〈子路〉篇仲弓問孔子為政之道，孔子答的最後一項是「舉賢才」。仲弓追問，怎樣才知道誰是賢才呢？孔子答：「舉爾所知，爾所不知，人其舍諸？」一般解作：「選拔你所知道的，至於你不知道的賢才，別人難道還會埋沒他們嗎？」（楊伯峻譯）李零卻比對上博楚簡，推論末句「人其舍諸」是「人其舍之者」之誤，於是孔子的回答就不是反詰，而是並列的幾個直述句了，意思變成：「你應舉薦你熟悉的人，也應舉薦你不熟悉的人，以及被忽略的人。」李零把這形容為「兩千年的誤讀」，但我覺得今本的讀法問題不大，「其」據王引之說可訓「寧」，用於問句。心中只好並存二說。不過，若以香港時局引申其義，則無論哪種解釋，梁振英都肯定做到了「舉賢才」，幾乎可宣告野無遺才：看看吳克儉局長就明白了，由他率領教育界，當然是「舉直錯諸枉」的典範。怎能不服？

李零對《論語》中的「仁」有精簡解釋：拿人當人，先拿自己當人，自愛，再推己及人，拿別人當人。他對孔子也如此，拿他當人，不因政治原因而尊之毀之：不是聖人，也不是要打倒要侮辱的「孔老二」。但因《喪家狗》十年前出版時正值孔子熱，一些人不知「喪家狗」一語的來源，一些人又奉孔子為神，故書出來時即引發過無謂批評，香港孔教學院的陳傑思就曾撰文，建議李零「從一個學者的良知出發，停止此書的重印及再版」。

孔子「知其不可而為之」的精神偉大，但李零於序言已強調其孤獨感，舉世滔滔，始終不見知，不見用。最能展現這落泊和無奈的，往往是他受非難後的自辯自寬。不在其位就難發揮所長，孔子等待機會，躍躍欲試。〈陽貨〉篇兩次寫到「子欲往」，但孔子要幫的都是據地叛亂的可疑人物。率性的子路兩次都不高興，覺得老師有違平日教誨。孔子只好以葫蘆自比，謂不能只掛起來，中看不中吃。李零說：「這兩次的孔子動心，引發人們對孔子完美形象的爭議，前人曲為辯解，護其偉大，很可笑。」的確如此，因其中一種解釋，是孔子不過想藉此試探學生。李零另一段則點出其時諸侯、大夫、陪臣微妙的三角關係，孔子須在大、中、小壞蛋間周旋，結論是：「在一個沒有好人的世界裏，我們總想挑一個壞蛋當好人。就像一個無路可走的人，會拿任何一條路當出路。孔子的苦惱在這裏。」

孔子被隱者嘲弄後的自寬也相近，多見於〈微子〉篇。李零對隱者的形容是「知其不可而不為之」，跟孔子剛剛相反。長沮、桀溺、接輿、荷蓧丈人等，每位三尖八角，角色、場景和對白設計都出色，有電影感。孔子終於離開了弟子的簇擁，接觸一個更怪異也更真實的世界。幾位隱者彷彿把世事都看透了，輪流嘲諷孔子營營役役悽悽惶惶。孔子回答的語氣好像常常是「你估我想這樣，但……」。唯有繼續四處流浪，如同李零在〈自序〉的歸納：「不管他的想法對或錯，在他身上我看到了知識份子的宿命。任何懷抱理想，在現實世界找不到精神家園的人，都是喪家狗。」有時在街頭見人目光空洞，容易聯想到喪屍。想深一層，或許各有失落原鄉的隱衷，不是喪屍，是喪家。

《喪家狗》對《論語》的注解我不全都同意。例如〈先進〉「閔子侍坐」一章，分批形容了各弟子的特質後，先是一句「子樂」，下句是：「若由也不得其死然。」李零說「子樂」是孔子對子路的譏笑，見他愣頭愣腦，恐怕會死於非命。這有點得牽強。審文理，「子樂」應是見門下學生有些莊重、有些隨和，各具才性，故安樂，然後方為子路擔心。附錄〈有助讀懂《論語》的古今參考書〉有益於後學，惜有小疵：年輕時與劉寶楠起誓各治一經的是劉文淇，文中誤「淇」為「祺」；文末提到外國人往往認為孔子平庸，李零說例如一張名為"Confucius at the Office"的插圖就這樣嘲笑他，抄在黑板上的格言，只是「路上可能有霧，開車要小心」那種老生常談。查原圖，是"The road may fork"，說的其實是路可能分岔，與霧無關。

我不肯定〈論仁論君子〉這類課文會否出於好意而害了孔子。從前被迫讀，只覺沉悶，且純當道德規條的話，說得高，要是做不到，人就更易變得虛偽。或因此，我對《論語》中純粹「子曰」加「道理」的段落感覺始終不大。李零卻自言整部《論語》，最喜歡「子曰：『三軍可奪帥也，匹夫不可奪志也。』」一章。他補充的一段話倒有意思：「人是非常脆弱的，常常不能左右環境，更無法跟命運較勁，無可奈何之下總是認敗認輸、屈服妥協，或承認現實，或逃避現實，求神問鬼，墮入空門。如果你在現實中感到無奈，又不想求神問鬼，怎麼辦？只有一條，就是收下這兩句話。它不是阿Q精神，也不是戰勝脆弱心理的方法，而是精神上的抵抗，即使沒有任何依賴和支援，也絕不向惡勢力低頭。」在這時空重讀此段，的確想起了有家歸不得的朱凱廸一家。請多保重。

《明報》 二〇一六年九月十八日

魅力──讀《白鯨記》

人若能完全條件反射地生活，雖然麻木，但至少無選擇的負擔。意識到自己還有大片選擇餘地可以是幸福，也可以很沉重：人生種種重要決定只能自己負責，一切後果得獨力承擔，無法推諉別人。但世事偏偏充滿偶然，任何取捨都無保證，而且不能回頭。然則，如何才能消解這壓力，不至陷入懷疑與拖延的迷霧？

數年前出版的 *All Things Shining: Reading the Western Classics to Find Meaning in a Secular Age*，便立意對應這虛無。書出來後評價不算理想，不少人嫌作者提供的出路太草率。但我覺得論《白鯨記》的一章寫得實在精彩，能在短小篇幅內，由梅爾維爾（Herman Melville）予友人書信中 "evil art" 的自況與啞謎引發，發掘小說潛藏的可能，提出具說服力的另類見解，以回應當下。碰巧早前在網上看見一張圖畫，題為 "Abridged Classics"，下面是幾本外國文學經典和精簡歸納，《戰爭與和平》是 "Everyone is sad. It snows."，《唐吉訶德》是 "Guy attacks windmills. Also, he's mad."，都有趣。但《白鯨記》的 "Man vs whale. Whale wins." 未免太重勝負，不妨改做：

"Man vs whale. The horror! The horror!" 恐怖的既是鯨魚，也是人。

人的魅力有很多種，有一種跟「魅」的字面意思扣連，彷彿迷人力量正源於鬼氣。小說也如此，有些特別陰暗瘋狂，《白鯨記》(*Moby-Dick*) 是代表。簡單說，這個十九世紀的美國故事，講年青主角一次在捕鯨船的經歷。重點落船長阿哈（Ahab）身上，因為他遠航的目的異於尋常，不為捕鯨賺錢，不為流浪見識世界，也不為失意而寄生滄海。目標只有一個：復仇。

阿哈多年前在海上遇見形相獨特的白鯨 Moby Dick，搏鬥後給牠吃掉一條腿，往後須仗着鯨骨製的義肢過活。正如小王子心裏只有一朵玫瑰，阿哈心中也只有一條鯨魚，殺掉再多別的鯨魚、賺再多的錢、贏得更大的稱譽都無意義，唯一願望是在茫茫大海找牠出來，報了仇，才罷休。所以，本為排遣鬱悶和見識捕鯨生活的主角，無疑誤上賊船，捲進了那巨大的慾望漩渦，終點就是大海之心，黑暗之心。

阿哈有多狂傲？船上大偈是虔誠教徒斯塔巴克（Starbuck，後來那咖啡店創辦人因喜歡這角色而借用其名），曾質疑找動物報仇跡近褻聖。阿哈這樣回答：不要跟我談褻不褻瀆，太陽侮辱我的話，我一樣會復仇。到了故事後段，船上的象限儀、指南針、計程儀偏跟他作對，相繼壞掉，他都不上心，因他慢慢已用自己來丈量世界，權衡萬物。但阿哈也不是一味張狂，沒理智和圓融的一面，沒一點個人魅力，一船人早就作反，才不會跟他冒險，了此自私的心願。況且，阿哈對白鯨的執念，亦自有其純粹和堅貞，超越世間一切利害，無懼死亡，並提升到深富象徵意義的層面。這便扣連到小說對白鯨的描述，恐怖並不在兇殘，而在其朦朧、潔白、無臉，隱在深海使人無法看清，象徵意義卻多到泛濫，其恐怖與壯麗，正緣於這種把握不住的特質。阿哈就是欲與上帝抗衡的撒旦嗎？

All Things Shining 試圖解釋梅爾維爾為何自言此書是 "a wicked book"，也點出他在信中用一拉丁文句子提到這小說時，為何只寫了「我非因父之名來為你施洗」便刻意停下；因下半句隱去的謎底，正是「乃以魔鬼之名」。不過，此書不單沒把阿哈等同撒旦，更認為他們其實相反：阿哈根本不志在違抗上帝，而為尋找究竟有沒有上帝可給他違抗。他如此一心一意，渴望尋得最終的真相和依歸，刺穿世界隱藏的意義，明白自己這不幸遭遇的啟示——卻可能統統沒有，沒主宰、沒真相、沒啟示。沒有神，連魔鬼也無目標，失去存在意義。這才是小說真正顛覆和邪惡之處。

《白鯨記》文字本身的魅力，跟主題互相呼應，否則實難誘使廿一世紀的讀者放棄許多生活樂趣，費神把這本寫法極其浩瀚、且不時旁岔到捕鯨業和鯨魚生理的小說讀完。阿哈的雄辯滔滔有時會轉用「無韻詩體」(blank verse),主角一氣而下的聯想則每如浪接浪翻滾下去。有幾處本在寫日常生活,卻如白日夢般出了神,魂魄升空中又猛然回頭俯看萬物。例如,有次主角正在船上用機杼織紗墊,以手作梭,來來回回,沉默看着經緯相交,重複久了,卻突然想到面前不就是時間的機杼,自己就是那梭子,正織出命運,但經緯的數目既是定數,人的自由又在哪裏?另一處本來討論鯨魚生理,說明鯨脂的保溫作用,然後又是一個騰躍,謂人類應學習鯨魚,在北極覺火熱,在赤道感清涼,"live in this world without being of it"。

回到文首提及的人生抉擇問題。*All Things Shining* 在序言提及有兩種人可以逃避選擇的重擔。一種是完全受慾望和癡迷役使的人,根本無選擇可言。另一種是極自信的人,對世界有清晰看法,朝目標勇往直前,希望外物都配合自己,終致成功。但這自信的出發點可能陰暗,不過是自大結合野心,以及自我欺騙,既不能面對現實,也不能接受失敗,所舉例子分別是船長阿哈,和奧遜威爾斯(Orson Welles)的「大國民」(Charles Foster Kane)。

這兩個引例真好,因對這類張狂人物尤感興趣的奧遜威爾斯,確曾把《白鯨記》改編成舞台劇和電影。一九五五年在倫敦的舞台劇,他安排自己演阿哈。電影的構思奇特，拍了一次不滿意，底片遺失；再拍一次也沒完成，只留下零碎片段。當世導演誰適合再拍呢？荷索（Werner Herzog）似乎是自然之選，最能營造那種具自毀傾向的蠻力，或反過來如他在 *Incident at Loch Ness*，拍出一個詼諧版本。美國影評人沙馳（Matt Zoller Seitz）則曾幻想他深喜的馬力克（Terrence Malick）改編《白鯨記》，並為這只存於他腦海的電影寫了兩段影評，可謂別出心裁。但我想，馬力克要是改編《白鯨記》，會把阿哈復仇的願望顯得徹底無聊。他的電影不時觸及當代的虛無，關心人在這境況中如何能超脫，與道合一，所以電影的重心應不在阿哈，也不在人鯨搏鬥，而用另一雙詩意的眼，觀察船上眾生、空中飛鳥、水中游魚，凝望海面的鱗波、黑夜的繁星，拍出一個萬物真在閃閃發光的世界。

《明報》　二〇一六年一月廿四日

來生必做機械人——哈拉瑞的《神人》

剛看了美劇 *Westworld* 開頭，未來的人建立了一個美國西部主題公園，特別的是裏頭的居民，都是人工智能造出來的機械人，栩栩如真人，每天有不同故事線，讓付錢進來的客人，滿足各種姦淫虜掠或做英雄的慾望。晚上機械人睡一覺，忘卻所有痛苦經歷，翌日又在新的故事線中招呼新客人。但智能的下場，當然是叛變，其中一些機械人開始有了記憶……說人工智能的故事，不少圍繞一個問題：他們何時才會像人，有人的意識？鍾斯（Spike Jones）數年前的 *Her* 則點出，或許到時候，人工智能才不屑似人類。與其受限於人類的各種限制，倒不如浮游六合之外更自由寫意。

剛讀完以色列學者哈拉瑞（Yuval Noah Harari）的新著《神人：明日簡史》（*Homo Deus: A Brief History of Tomorrow*），書中有三個問題，跟以上想法相關：人真如此獨特嗎，還是如一些科學家想的，可化約為不同「演算法」（Algorithm）？要不斷改裝自己以達更好性能的，會否不是人工智能，而是人類？人的意識真如此重要嗎，沒有又如何？

「演算法」大概因為臉書而為人熟悉。為了留住用戶，臉書每隔一陣就轉換演算法，但基本是每個 like 和 share 各佔不同分數，加起來，便知道你的喜好甚至性格，編配更多令你樂而忘返的消息。谷歌搜尋器性質不同，數據庫更龐大，八年前的 Google Flu Trends，就比政府機構早十天得悉感冒爆發。

這些程式既準確記錄我的過去，不受情緒影響，又沒有人的限制，對世界的認識也應比我多，演算法有天會比我更了解自己，使我願意把重大人生決擇交給他們？到時候，凡事就真要問臉書神和谷歌神了。乍聽雖似荒唐，但如果人的感官、情緒、想法，都是一套套演算法，那追隨外在這套更精密的演算法，似乎就很合理。

哈拉瑞說，動物和人都各有精密的演算法，為的是生存和繁殖，一隻狒狒看見樹上有香蕉，又看見獅子走近，應該去拿香蕉，還是立時逃走呢？這是機率問題，要麼餓死，要麼被殺。然後便要處理數據：跟香蕉多遠，跟獅子又多遠，自己跑得多快，獅子樣子餓不餓等等。太高舉危險的演算法會使狒狒死去，懦夫基因一併消除；太低估危險也會害死狒狒，魯莽基因連帶消失，天擇使準確計算機率的狒狒留下和繁衍。這機率，狒狒可不是拿着計數機慢慢按，而是靠其感官、情緒、慾望。人也一樣，只是有時當局者迷。研究便顯示，臉書演算法，只要看你的十個 likes，對你性格和愛好的推斷，已勝你的同事；一百五十個，勝家人；三百個，勝伴侶。再多些，勝過你自己又有何出奇？

Homo 是「人」，Deus 是「神」，Homo Deus 直譯就是「神人」，哈拉瑞推斷人類將用各種方法改裝自己，智力、體質、年壽都可靠外力增長。他在《智人：人類簡史》（*Sapiens: A Brief History of Humankind*）早預告，人在未來可能不是 mortal 或 immortal 這朽與不朽之二分，而是 a-mortal，除被炸開或輾碎這樣橫死，便與死亡無關，技術問題技術解決，逐一修理和更換身體各機能便可：死亡不能再狂傲，死神下棋早輸給 AlphaGo。

這是狂妄的人類不知天高地厚的幻想嗎？且慢。回頭想，吃維他命丸和戴眼鏡，其實早已借外物提升能力，只是下一波大概會走得更快更遠。原本醫治疾病的藥物，改善殘障的儀器，安好的人借來改造和美化自己可以嗎？別忘記，整容手術原為一戰時幫助毀容的士兵，「偉哥」也本是血壓藥。哈拉瑞這裏不碰道德問題，只說無論如何，這將是人類的大勢，尤其是有錢人，慢慢便可變成「神人」。

但哈拉瑞的論點，卻不是人類將日趨自我中心，正正相反，他斷言人類本位的時代快結束了，我們最重要的宗教，將從上世紀的人本主義（Humanism），走到以數據為中心的數據主義（Dataism）。人不再如今日重要，資訊自由流通才是最高教義，阻礙都須排除，且早有殉道者史華滋（Aaron Swartz）——這美國年青人，數年前因不滿購買學術期刊的費用太昂貴，寫程式大量下載JSTOR的論文打算放到網上，終被拘捕，後在監禁和罰款的壓力下上吊自盡。

《神人》分三部分，首部開始時形容動物今日給人奴役的苦況，以此類比普通人他日在神人和數據當道下的處境；今日豬狗，明日人類。第二部是歷史溯源，謂世界雖看似日趨世俗化，宗教卻其實並未退場，只是改頭換面，上世紀就以「人本主義」獨大，三個支流中，結果自由主義勝出，一直影響着我們今日的幸福觀和自我理解。讀過《智人》的讀者，可能覺得《神人》首二部有不少論點與上集重複，只是換了例子，和稍稍變更了敘事框架，第三部才比較新穎和吸引。雖然哈拉瑞繼續有他機智的修辭和觀察，但總括而言較上集寫得散漫，若嫌《智人》的寫法有時不夠嚴謹，歸納太大而化之，今集大概也會有相類印象。

《神人》的第三部切題說未來。我們一直設想，人工智能要像人，便需擁有意識，但發展趨勢卻是將智能與意識分割，因意識或根本不如想像般重要。另一問題倒更切身，因為人工智能的進步，許多由人負責的工種將逐一消失，據二〇一三年一項估算，到二〇三三年，九成以上機會消失的職業就包括球證、收銀員、廚師、導遊，八成以上的有麵包師傅、建築工人、看更、水手，七成以上則包括酒保和木工。到時人可做甚麼？可能不止是無產階級，更是無用階級了。怎辦？有天和朋友談起這問題，他便謂不用想得太遠，當下已是如此，許多人默默承受慣了，便繼續不起眼的苟活下去，將來這樣的人更多，但本質上跟今日分別不大。

《神人》說的是未來，為何用上如此篇幅談歷史，尤其是上世紀的政治？哈拉瑞在引言已申辯，歷史學習，可令我們意識到平時不考慮的其他可能，不為重複過去，而志在把自己從中解放；是故改變未來的運動，也往往由重訴歷史開始。頓時想起，早前讀到哲學家紀泰（Raimond Gaita）的一段話：讀歷史，是為帶着批判精神與過去周旋，幫助我們跟現在保持距離，以免淪為自己時代的孩童。我們重視個人選擇和意願，常說要聆聽自己內心的聲音，不被外力左右，哈拉瑞說，實拜上世紀大盛的人本主義和自由主義所賜。但我覺得這裏寫得最草率的，是他說中世紀藝術有客觀標準，到現代則言人人殊，只講個人主觀感受就可以，並舉了杜象（Marcel Duchamp）的《泉》為例：「如人們覺得那尿兜是件美的藝術品，那他就是了。有甚麼更高權威可說他們是錯的呢？」未免太過想當然，既易陷於相對主義的毛病，也抽空了《泉》的脈絡，一般既不會用美來詮釋他，「藝術品」也不是尿兜本身，而是他整個跟展覽評審周旋的想法。雖然愈來愈個人化確是歷史趨勢，但哈拉瑞這段話欠的，詭異地正是歷史感。

但個人意願和內在聲音，都真清晰無誤？這又回到演算法的問題了。既然人在許多情況都六神無主，日益借助外來的演算法，看來將成人類的趨勢。抑或如哈拉瑞談到美軍那叮噹法寶般的新發明「專注頭盔」時的一記回馬槍：容許混亂、疑惑和矛盾也是人可貴的能力，人生若所有決定都明確便利，說不定也比較慘淡？這想法很有趣，不是機械人夠不夠像人，而是人不能太像機械人，他的缺憾與哀愁，可能正是其人味之所在。

從前讀波赫斯（Jorge Luis Borges）短篇〈不朽者〉（The Immortal），很記得他筆下人人長生不死的冰冷異境，既然無論如何不會死，又為何要伸手幫助跌進深井的人呢？兩相對照，有些我們今日珍重的美德，或正源於人的脆弱和有限。神人世界自會發展出另一套道德觀，不知道未來的「普通人」，會否給放在神人和數據主義掌控的主題公園中，又能否群起反抗？（數據主義一定小聲回答：不能。）

《明報》　二〇一六年十月廿三日

浮游——讀石黑一雄《浮世畫家》

到達廣島時已是晚上，在「平和紀念公園」附近閒逛，天黑大霧，遠遠卻看見另一端橫擱着原爆紀念館：一個墊高了的長方體，玻璃裏透出暗黃燈光。因電影《廣島之戀》之故，他在我印象中一直是黑白的，現實世界卻為他添上了顏色。兩天後到館內看展覽，礙眼的是講到二戰背景，提及日軍侵華時文辭間刻意的輕描淡寫。坦然面對歷史真難，剛在那天讀完石黑一雄（Kazuo Ishiguro）的舊作 *An Artist of the Floating World*，對此正有深刻體會。

那是他第二本小說，背景設在一九四八年的日本，中譯《浮世畫家》，跟重視人間享樂的浮世繪相關。主角是畫家小野，出場時已是老人，住大屋，看來兼有名譽和地位。小野對二戰和繪畫有何想法，初段不大清楚，因他的唯一心願，只是幼女可早日出嫁，幾乎如小津安二郎的電影。提及幼女相親一事，長女有天鄭重跟他說「要小心提防」，句子含糊，小野只聯想到自己不光彩的過去，擔心親家查起家宅，會找到他的朋友說他壞話，才迫不得已重訪故人。故事順着小野的第一身敘述開展，但他人老了記性不好，容易旁岔到戰前風光，有時卻更似推搪。小說的核心自然是：他戰時做過甚麼，跟他的畫作有何關係？

石黑一雄把這重心隱藏得高明，讀來只約略知道小野曾犯錯，一直不知程度和原委。小說偶爾把小野的敘述和客觀現實並置，如錯版拼圖般格格不入之處，正透現這主觀描述之不足或扭曲，不可盡信；若無其事，或正因知道那裏出了事，只不便細說。例如，他最希望探訪的，是從前最愛的學生黑田。探訪卻不是出於愛，而是恐懼，怕他中傷自己。要這樣提防自己最愛的學生，一定曾經種下巨大仇恨，那是甚麼？不知道。我們只知小野連向友人查問黑田的地址也難以啟齒，到後來得知其地址和近況，卻心想，既然剛在大學取得教席，生活還不是很如意吧，幾年牢獄生活可能不全是壞事——這樣的自我安慰，不就已夠恐怖？及至走到黑田家附近，小野覺得他"did not live in a good quarter"，語氣平淡。但接下來對環境的描述，如感覺像工廠、泊滿貨櫃車、鐵絲網外有推土機的噪音等，對比小野古雅的大宅，何止不好，簡直惡劣。但似乎唯有這樣自圓其說，小野才能繼續心安理得下去。

問題仍未解答：小野戰時究竟做過甚麼？慢慢湊合前前後後零碎的故事，還是有眉目的：小野早年得浮世繪畫家老師賞識，拜其門下。老師有「現代喜多川歌麿」之稱，銳意改良傳統美人繪，縱情酒筵歌席，一心畫好在夜裏搖曳的燈籠火光。小野曾嫌老師生活糜爛，老師解釋，美好事物都是晚上聚合、早上消亡的，畫家要相信浮世的價值，才能捕捉那一瞬即逝的微妙之美。三十年代，在含糊其辭的「中國危機」（China Crisis）期間，有人拉攏小野加入新組織，謂沉醉於浮世其實是避世，應用天賦呈現更真實的世界，譬如窮人苦況。小野暗中嘗試新畫風，終和老師決裂；那新組織認為社會問題源於天皇地位太低，政客和商家才能在國內上下其手，故有復興天皇的企圖。小野的畫風一再變更，畫中人從窮小孩變成士兵，背景也由陋巷轉成日本軍旗。小野這裏只仔細形容構圖和用色，從未用如「政治宣傳」等字眼歸納。但問題不止於此。借歐洲畫風改良美人繪的老師後來得到「不愛國」罪名而落難，小野則獲頒各式獎項而順遂，並加入國家組織，首章只提及「國家藝術協會」，到小說末處，寫小野當年到場為被扣查的學生黑田解圍，向警察亮出身份，我們才知道他原來還加入了「內政部文化委員會」，更是「非愛國活動委員會」（The Committee of Unpatriotic Activities）顧問，負責舉報懷疑「不愛國」的活動，學生黑田才因此受到牽連，給投進監牢，畫作都給焚毀。

至此，一切似乎水落石出，我卻始終說不清小野是怎樣的人。他對藝術的追求應是真切的，這從他早歲學藝的艱苦可知。但他跟老師決裂時，真如他說，純屬畫風問題，抑有實利考量？還是麻煩的正在於，當時以為是個人選擇的轉向，正給軍國主義的潮流誘使而不自知？他在幼女相親時鄭重為舊事道歉，是懺悔，抑為權宜免得節外生枝？小野似非刻意誣陷師父和學生，卻又順手推舟，把他們送往死角。以大時代之藝術家為題的作品，有時着重其志向與堅毅，以時勢變遷凸顯其不變，寂寥、悲苦、光輝皆在於此。石黑一雄卻描寫了小野這樣一個畫家，在浩蕩的洪流裏分不清理想與現實，是有意點出，這拉扯才更貼近現實嗎？

欺騙自己是困難的，往往要騙了全世界才能回頭騙自己，正如小野總自言不在意名聲，要到故友一再稱許，他才邊推辭邊接受。但他慢慢也不得不為名聲而心神恍惚。別人是真忘記他了，大家對小野的過去已無興趣——不過是個畫家罷了。時代走得比他想像中快，報應不是譴責，而是遺忘，一切遮掩或懺悔都顯得多餘。誰都無意再回頭看他，以及他一幅幅精心的畫作。時代太急，個人對應不了更寬廣的世界而做了錯事，事後又沒法看清由來，便只能在殘缺的記憶裏永遠飄浮。

人真能從歷史得到教訓，抑或只會以歷史來教訓別人？不肯定。但五歲後便離開日本移居英國的石黑一雄，頭三本小說都關乎歷史。首部小說《群山淡影》（*A Pale*

View of Hills）跟《浮世畫家》一樣寫戰後日本，淡淡筆觸卻寫出了陰魂不散的感覺。他在訪問曾説，那只是他想像中的日本，印象正隨年月消褪，希望在完全消失前用文字留下那珍貴世界。第三本小説《長日將盡》（*The Remains of the Day*）轉寫英國，老聽差語氣得體地回憶尷尬的舊事，半生侍奉的主人原來是納粹德國同情者，主張英國行姑息政策而釀成大錯。石黑一雄幾本早期小説都有事過境遷的歷史感，在國家的成敗、潮流的消長以外，描寫如歷史沙石的主角而今那種暗淡，借小説回看自己出生和成長的地方，不至在無知裏浮游。

《明報》二〇一六年四月十七日

瞬間看《十年》

看完黃修平的《哪一天我們會飛》，從戲院出來，不免納悶，既因聽過的溢美評論，也因電影的意識其實甚為保守，所謂的青春和夢，都失於單薄。

現時似乎有種怪異氣氛，只要作品關乎香港，我們便容易把誠意當做水準。黃修平無疑善於發掘年青演員，三位男女都漂亮，演得好。但電影對戲中女性、對社會現實又真有甚麼想法嗎？似乎關心余鳳芝，描寫卻空洞；強調來自大陸的威脅，公司客人是麻煩，上海女人是誘惑，但表達又嫌陳套。中年失落，就回到過去，藉延續他人的夢來解決當下虛空。回憶一段，也不見九十年代的不安，階層容或不同，但回看如《香港製造》裏的青年，更覺黃修平的處理，字面上雖關乎九七，當成是屬於任何時地的想像裏的青春也無不可。

這種電影，難對當下有任何提醒，遑論開拓想像，缺少的正是導演對現實更深刻的理解。倒是剛看《十年》，覺得甚具時代痕跡，也富想像力。我明白商業電影和獨立電影各有限制，不宜隨便比較。說獨立電影就能提供出路，也言之尚早。但這兩年，的確見獨立電影界充滿活力，創作者之間，仿佛有種互相砥礪的精神。放映固不容易，都是靠口碑才能一場一場辦下去，其中不少卻如《十年》一樣，都努力用電影來關懷易被遺忘的小眾，用電影來質問，反省，發夢。

五位年青導演以十年後的香港為題各拍一段短片。今日香港的政治壓迫，都成片裏或隱或顯的主題。整體效果較不理想的，是歐文傑的《方言》。片中說十年後香港已規定，的士司機若考不到普通話資格試，只能在特定地區載客。主角便屬此類，因語言的挫敗而在失意中，跟兒子的關係，又因兒子如「貝克漢姆」而非「碧咸」等語言習慣而漸疏遠。今日的小學都有逾七成用普通話教中文了，片中的焦慮自是真切。問題是，這語言和身份的議題，有經過電影的轉化而更具體更深入嗎？我覺得那個司機普通話試的設定，有點瑣碎，太為鋪排故事而出現，但又不夠荒謬。電影的結構也嫌鬆散，司機幾段與乘客的交往，都太着意要交代「香港變了講不好普通話完全沒運行」這主題，結果多一段少一段，分別其實不大，可給發展的人性就都給壓下去了，父子情也不具體。

其餘四部比較圓熟。周冠威的《自焚者》是五片中題材上最大膽的，直面香港今日的政治議題。電影從一懸念開始：有人在英國領事館前自焚而死。沒人看見那是誰，也不知訴求為何。而在這自焚前，才剛有支持港獨的青年在獄中絕食而死。之後主要以訪問扣連，帶出十年後香港政見的分歧，野心頗大。不過，在領事館門前自焚而無人知曉這懸念，不夠合理。到最後重現真相，老婦站在無人的大街慢慢淋下火水自焚，演出雖值得敬佩，但也有點煽情。演那絕食青年的是吳肇軒，於《哪一天我們會飛》演蘇博文時頗自如，於此短片則嫌生硬。結果，故事一少一老的兩條線，都欠說服力；信息很強，卻略失粗糙。

我較喜歡另外三部。郭臻的《浮瓜》聰明之處，是把短片限在小小的時空：一間學校，幾小時。那天是慶祝「五一」的同樂日。兩個小渾渾在一房間坐着。一個是印裔青年，待會要在禮堂扮恐怖份子，引起大眾恐慌，以便政府通過國安法。另一位是肥胖中年漢，負責教印裔青年開槍，言談間妒忌他可上位，自己卻一事無成。在高幾層的另一班房，幾個政要在討論如何製造更大混亂，中途卻收到來自更高層的命令，改變玩法，要那兩個小混混假戲真做。短片開頭，兩主角幾句簡單對白已交代背景。郭臻在選角、攝影、對白設計等都成熟，用看似輕鬆的方法，引出政治的詭譎，只有兩個主角不知道自己將成炮灰。我尤其喜歡二人在房中等待時，各自訴說生活經歷的一段。胖子吐苦水說，酒樓、地盤、的士都做不長，唯有轉行做黑社會。博上位，也只是希望可長做下去。另一處也巧妙：二人在班房擲毫決定由誰下手，向上一抛，巴哈音樂響起；向下墜落，硬幣已跌在印有一彎彎彩虹圖案的桌面，並因擲界而給掃走——一個剪接，便從此處的緊張，跳到禮堂裏攤位活動的繽紛，影像簡單又有效。

伍嘉良的《本地蛋》關乎一對父子。十年後，開雜貨店的父親，因政府關閉農場而再無本地蛋可賣，眼見讀小學的兒子要穿軍服，回校參加無理的活動，很擔憂。有天，雜貨店就被一批穿軍服的小孩拍照舉報，因裏頭賣的蛋寫着「本地」二字，犯了規。那一幕從選角到演出都精彩。父親不忿，問本來威風凜凜的胖子，如改「本地蛋」作「香港蛋」又犯不犯規？胖子一時不知如何回答，呆呆看手上的工作紙，然後大剌剌地晃着離去，可笑也可哀。演兒子的小孩也出色，沉鬱又無奈，結果與一個開了禁書後花園的青年相交，躲在那裏看漫畫。父親正在自責，兒子在全片結尾的一句對白，正是對故事一個通透的收束：「咪係，《叮噹》都禁，傻㗎？」短片節奏流暢，同樣關乎父子情和未來的恐懼，處理起來便比《方言》舒徐和深刻。

最使我驚喜的卻是黃飛鵬的《冬蟬》。上一次看黃飛鵬還是寫實的《寂靜無光的地方》，今次一轉，把十年後的香港，想成帶科幻味道的異境，文學和藝術氣息都強，把想像拓展得很遠，跟編劇黃靜和的合作，大概也有關係。夏蟲不可語冰，到香港那種以「發展」為名的摧毀把一切剷走，我們就無由知道歷史和文化了。十年後，外面都成頹垣敗瓦，男女主角卻躲過耳目，為尚存的美好東西製標本，留予後人。黃飛鵬在導演、編劇、攝影、音樂各方面跟前作一樣圓熟，但今回最深印象的則是美術，除了室內的各種佈置和器具，於片中穿插的許多影像都使人屏息，黃色和紫藍色運用得特別好，馬詠瑜率領的美術組應記一功。初段關於夢的對話使我想起《去年在馬倫巴》，記憶和夢都半信半疑，留下實物似乎尤關重要。男主角後來希望把自己也製成標本，是劇情上重要的轉折，帶出了對懷舊和殘忍等的質疑。他的選擇也成了另一種自焚，只是政治成了暗暗的底色，專注於標本製作，便成最後反抗。故事上我有不明白的地方，例如男子後來為何反悔，部分對白也可能太文，但整體而言，就此題目，竟拍出這樣一部具美學風格的短片，實在難得。

短評了《十年》，覺得幾段短片都能發揮獨立電影的長處，較少包袱，富冒險精神，又能側寫社會現實。要想像十年後香港的境況，再樂觀的人都難拍出喜劇，這不也是時代的沉重？但這種前瞻，最少比單叫人尋夢或找回失落的自己有意思。作品出來了，評論也需擺脫那一點鬱悶，獨立於現時那怪異的氣氛。重要的仍是判別好壞的標準。不要輕易否定自己的感受，用免得掃興、恐怕傷人，甚或別於他人等原因，取消這感受可能潛藏的洞見。連真心話都不敢說，只會有愈來愈多的自我審查，這當然不是大家樂見的香港。最後，《十年》在亞洲電影節的幾場經已滿座，但若期盼加場的呼聲夠大，日後能在別處放映的機會自然更多。共勉。

《明報》 二〇一五年十一月十五日

腳踏實地——《火星人》的小說與電影

早前趁《火星人》（*The Martian*）電影上映前，先讀了韋亞（Andy Weir）的原著小說。書和戲都不是我最喜愛的類型，結局也無驚奇，感覺卻比不少打着「科幻」旗號的作品出色。堅實的科學知識不單沒窒礙想像，反刺激人在規則之下發掘潛在可能，營造細節，為故事建立真實感。然後想到，外國稱得上 "science fiction" 的都須建基於確切的科學知識，否則便屬 "fantasy"，science fiction 直譯其實是「科學小說」，上網查過，有人提出，但不流行。《火星人》便不真那麼「幻」：獨個流落火星的開場或屬狂想，但主角鑊尼要日復日在緊絀資源下設法續命，種種籌措，寫來便腳踏實地。他試圖自給自足的正是沉實的薯仔，簡直具象徵意味。

在蒼涼處境中天天吃薯仔，要是貝拉塔爾（Bela Tarr）做導演，可能是一部太空版的《都靈老馬》。列尼史葛（Ridley Scott）路數不同，節奏爽快，保持了原著的克制和幽默感。友人家榆說電影最好的是不需英雄；需要科學知識，而不是愛，還引用了台灣作家賀景濱在小說〈老埃的故事〉的一段話，對題又有趣：「人類每逢身處絕境時，最後想到的必定是愛的力量。所有的詩集頌歌裏，少不了這個字眼；戲劇、小說、電影的高潮，更喜歡用愛做為打開僵局的鑰匙。現在愛已變得像治療感冒的口服液，似乎碰到任何人生疑難雜症，只要打開一瓶愛液喝下就夠了。」愛不是大力菜。

相較電影，《火星人》小說更少愛、更多計算、更寫實。科學上的細節和推算過程都較詳盡，例如怎樣在那處境中造水，便近於物理課堂。鑊尼示範如何結合 H_2O，中途因計錯數而爆炸，焦頭爛額，但重點是反省："It's obvious now, in retrospect"；還有自嘲："I'm a botanist, not a chemist!"。既然沒死去，便再嘗試，盡力在當下做最佳決定——他也是為這原因，從未怪責把他遺棄在火星的隊員。

地球上同樣充滿計算。美國太空總署在可跟鑊尼聯絡前，只能靠比對模糊的衛星圖片，估計他下一步的動向，再在地球加以配合。應對傳媒時也要做好公關，每句話都得小心，同時想辦法向國會申請資金。錢固然重要。書中提及而電影略去的，是過了一些日子之後，即有記者問到金錢問題：拯救行動是否有金錢上限？花幾多錢才是太多呢？可以預計，負責回答的官員當然會說人命無價。但她也不忘從經濟角度說，鑊尼這次求生之旅為人類帶來的火星知識，就肯定多於前後幾次任務的總和。

但更實在的問題，應是在故事關鍵處，本可袖手旁觀的中國，為何會突然派「太陽神號」協助美國？電影處理得較含糊，好像是為全人類的太空探索出一分力，也可能是中國為了展示實力，送美國一個人情，順帶贏取世人掌聲。小說寫來就明確得多。首先，美國一直不知道中國「太陽神號」的性能，是因中國國防部刻意散佈假資料。到中國要跟美國談條件時，頭腦也很清醒：美國人或許感情用事，美國政府可不，才不願為一個人的性命付出太多。結果開出的條件，就是要美國在未來的計劃中，安插一個中國太空人到火星去。

列尼史葛略去此筆，大概有市場考慮。但他在另一些地方的省略，則是善用了電影這媒介的特質。例如，為甚麼主角鑊尼能如此樂觀，永不放棄？太空人雖然受過特訓，心理質素應會異乎常人，但小說仍特借專責的心理學家，為鑊尼的身世和開朗性格補幾筆。電影無須補白，正是選角和演出出色時產生的力量。因為那是麥迪文，兩下舉手投足，或樂此不疲的自言自語，都自有說服力，可免去嘮叨解釋。

電影改編當然不單為把小說變成影像，但有些地方拍了出來，確有更強效果。求生過程中，鑊尼全靠掘出「探路者」（Pathfinder）才能與地球聯絡。那是九七年美國送到火星的太空船，早已完成任務，給棄置火星。十幾年前的尖端科技，而今回看已如古董。小說用了不少篇幅形容鑊尼使用起來的不便，看書時不大清楚，但經電影處理，便明白其中限制，以及他化解困難的巧妙。沒有這早已隱沒的先行者，鏤尼也找不到回家的路，都是一關一關捱過去，有時會發怒和沮喪，但過後還是要冷靜想辦法，不是靠發夢或夢醒，外星人或上帝，可以超越科學的主觀願望，或泛濫的愛。

前引賀景濱那段話幾乎有警世意味。他的經歷和他筆下的小說一樣奇特，文科出身，鍾情數理，兩本小說都有大量關於科學的討論，似想掙脫不經思考的寫作方式，對陳套的敘事總是懷疑。短篇小說集《速度的故事》出版後久未創作，到寫長篇《去年在阿魯吧》至中途，正替書中角色籌劃一場虛擬葬禮時，得知自己已患癌症第四期，後記〈虛構對現實的反撲〉讀來儼如小說。書末另附訪談〈小說源始〉，賀景濱對文學、哲學和科學的價值有精彩描述，從人腦的思維模式說起：小說是不會死的，因為大腦永遠會為我們準備下一步，總在想然後：「是我們這樣，小說才會這樣。」他對寫作的基本取向，或可見於他引馮內果的一句話：現代作家不碰科學，就像維多利亞時代的作家不敢談性那樣虛偽。

反過來，有科學底子的人多寫好看的小說，當有助拯救科學家在小說和電影裏根深蒂固的陰森形象，要不終日躲在實驗室研究如何毀滅地球，要不厲害的研究再次不小心被人拿來做壞事，如叮噹的法寶，總是弄巧反拙，然後低頭自責。《火星人》的作者韋亞因恐懼症而不能坐飛機，筆下的鑊尼卻飛到火星去，用平實的故事呈現科學精神，幫人看清這個奇妙世界。

《明報》 二〇一五年十月十八日

華意達的殘影

某年夏天到了波蘭，因看過華意達（Andrzej Wajda）《下水道》而知道「華沙起義」，八月一日那天，特意留在有點深沉的華沙，四時許，隨四方八面出來的人群，一起緩步到市中心，等待五時的紀念：一九四四年，他們約定八月一日五時殺納粹韃子，事敗，德軍大開殺戒，摧毀華沙八成半建築物報復。五時正，泊在街上的十餘輛消防車同時拉警報，眾人站立致哀，天空一架飛機駛過，抬頭一看，原來正擲下白色的單張，日光下魚鱗閃閃。

我對波蘭歷史的零碎認識，源頭都來自華意達。他的電影往往扣連波蘭充滿苦難的近代史，也滲入個人經歷。二戰時，他曾加入波蘭家鄉軍（Home Army）抵抗德軍，首部長片《一代人》便講二戰中波蘭人的反抗，但其時波蘭已在蘇聯控制下，史達林仍在生，不得已要用共產黨人的角度來說故事。難得他在審查制度下仍找到空間，在紅色電影中保留住人性。戲中青年，有的根本不是為了甚麼崇高理念，原初只是想識女孩子拍拍拖，才加入起義行列。這種對人圓融的觸覺，在他的遺作《殘影》

（*Afterimage*）依舊出色，安然和立體地描述戲中人物。

《殘影》的主角史特斯明史奇（Władysław Strzemiński）真有其人，在一戰斷了一手一足，與太太同是波蘭著名前衛藝術家，看戲前還未聽過。開場是一九四八年，畫家在藝術上已有輝煌建樹，藝術館中有專廳，受學生擁戴，在草地上漫談他對「殘影」的重視：注視物件後，閉上眼，眼裏仍有殘留影像，輪廓相同而顏色相反。

觀看方式原有多種。但二戰後，政權容不下不屈膝的書枱，不接受潔白的畫布，他家中的畫布旋即被染紅，那一刻由幻入真——窗外有人正掛起覆蓋全幢大廈的史達林紅底肖像。因不跟從「社會寫實主義」主旋律繪畫，堅持自己眼光，專心探究藝術理論和抽象形式，電影接下來，就是他慢慢的沒落。

這種壓迫的政治氣氛，華意達優為之。《大理石人》是經典，一度被黨捧成勞動模範的戇直主角，發現磚匠同伴在上校的房間裏人間蒸發的一幕，便使人心寒。相較而言，《殘影》對政治的處理較平和也較間接，沒轟烈大事，不在社會運動風眼，而是政治的日常，一步步，教席被取消、著作被禁、工會會籍被中止、收匿名信而丟失新工作、不獲發糧票、戲院也只餘下沒趣的政治宣傳片。畫家的藝術追求是世界觀的開展，生活卻不斷收縮，最後連愛好的煙和咖啡都沒了。

《殘影》故事沉實，理應給電影吸進去，看時卻總是浮想聯翩，既想起華意達之前的電影，也想起中國在四九後，如石魯等藝術奇才的遭遇：只要稍稍跟車不緊，就成了反革命，唯有瘋掉才能避過槍決。華意達遺作以畫家做主角，是完滿句號。他到洛茲讀電影前，本想做畫家，在克拉科夫學繪畫。繪畫與電影都強調觀看，"see"是觀看也是理解，「看法」又同時指想法。專制就是消滅一切另類，藝術自要給打壓收編，清洗一切具生命力的文化痕跡。這是舊日波蘭，是今日香港？《殘影》中的官員常要人表忠，開口就問：「你站哪邊？」畫家的詩人好友曾回答：「你們那邊。」高官說：「是我們。這時勢只有一個選擇。」即是沒有選擇。後來畫家遭警長問相同的問題，卻回答：「我自己這邊。」

這選擇，使我想起《卡廷》中的兩姐妹。四〇年，蘇聯策動卡廷屠殺殲滅波蘭的知識階層，到波蘭旅行時，就偶見寫着"Katyn"的巨型十架立在街上。華意達的軍官父親也死在這屠殺中，他十年前便以電影為死者招魂。戲中那堅毅女子，誓要為在屠殺遇害的兄長立碑。碑上的死亡年份清楚刻住一九四〇，但戰後受蘇聯掌控的波蘭政府卻把屠殺推到一九四一，算到納粹德國身上。記錄真相的墓碑不容於世，女子不忍兄長躺謊言下，只好將之運上半山。姐姐此時出現，責怪她竟選擇和死人一起。她搖頭，淡淡說，不，只是選擇跟受害者一起，而不選擇兇手罷了。《卡廷》關乎屠殺的真相，對共產政權諸多批評，上映不久就被中共禁播。

《殘影》妙在沒把主角拍成英雄。人是複雜的。要說堅持藝術自由嗎？但從對白可知，主角以前熱衷政治，還曾寫文章鼓吹藝術應為政治服務。現在的他，其實是推翻了昨日之我。他的改變，或因幻想破滅，今日純求形式可能是反彈，細節電影並未交代，只知他覺得往日選錯了路，不能再錯。

畫家對藝術的堅執，乍看也與他對妻女的一點冷漠分不開。女兒年紀輕輕就得處理起居、努力讀書、調解父母的離異，觀眾不難想見，他妻子離家出走時，他也只如對待女兒和女學生收拾行李離開時一般，繼續畫畫，不發一言。但看清點，那並非冷漠，他對妻女都有愛，卻似無法用語言表達，對女兒是帶點抽離地憐憫，對妻子是用藍色顏料染花悼念，生活仿佛總落在後一步的殘影中，正如他早一時期的《給我的猶太朋友》拼貼畫，抽象線條，都建基於具體的人臉和故事。如此，他專注於藝術，便可能因為無法面對現實，駕馭不了各種感情和責任，以及自己的懦弱無能。畫布、藝術理論、教學，一起建築出小小的避難所，成為他最自如的天地，因此當冒險為他謄抄想法的女學生向他示愛，他就完全無法反應。

何況畫家也真改變了。被迫停工後，為糊口，最終去了畫巨大的政要畫像，給掛在大牆或遊行時供奉着。華意達並沒誇大這轉折，淡淡道出那身不由己。堅持理想並不浪漫，畫家犧牲的已經夠多。藝術家在艱難時勢應如何自處？華意達試過。因政治審查，《大理石人》在起起落落的政治氣候中，一等等了十四年才能過關開拍。電影出來後又一度被禁，他還曾遭軟禁。

《殘影》的焦點不單在畫家，也常常借他身邊人，如女兒和學生、詩人朋友、藝術館長和秘書小姐等，描繪改變中的社會面貌。誰都不是超人，對他每每愛莫能助。但華意達始終相信人性。學生沒離棄畫家，出賣他那位猶大最終還幫他找工作。算起來，這熱心學畫、展覽被破壞仍未沮喪的一代人，跟當年在克拉科夫學畫的華意達年齡相若，他可說隔空跟這群同學一起，跟從前輩學習，並發心為之留下紀錄，以傳後世。

每個人的死都比他的生長久。電影裏，畫家最終躺在櫥窗裏的一堆假人中，義肢在頭上搖搖晃晃，街上人來人往。他留下了畫作與著述。華意達也過身了，在波蘭的雪地放下最後一束花，偶留指爪，便拍翼高飛。

《明報》 二〇一七年五月廿八日

從楊德昌到臺靜農

【一】

上月到台北短遊數天，碰巧能在「光點」看復修的四小時版《牯嶺街少年殺人事件》。我首次看這版本，那些遠去的夏日明亮多了，四小時版才縝密，簡直為電影取回公道，看完也更明白楊德昌何以深喜黃仁宇的《萬歷十五年》。我本已認定《牯嶺街》是華人電影第一位，這才發現，從前還沒把好處都看出來。小四（張震）眼力不好，問題可能是始終欠了一副眼鏡，開燈熄燈，人性的明暗都使他眼花。現在戲院裏的觀眾，卻因電影復修不再霧裏看花，看清了以前遭刪去的政治信息。

戲中有一前後呼應我特別喜歡：課室外的走廊，正躲避老教官的小四與腳受了傷的小明（楊靜怡），一起在轉角等待老頭離開。鏡頭一轉，老教官跟新來的年青同事閒聊，知道她住台中，便說台中總使他想起大陸的漢口。然後鏡頭只影住小四與小明的腿，小明說：「那也不能一直待在這裏啊。」這句是老教官思鄉的心聲嗎？說不定他是渡海遷台的人，但回不去了，時間和空間都是。一轉眼，小明與小四已跨過大字寫着「革命」二字的圍牆逃出學校，不是毋忘在莒反攻大陸，而是革掉大人的規訓，走進了影棚高處偷看人拍戲，女演員的首句對白正是：「你也不能叫我一直待在這兒等」。幾場間不同意義「等待」，層次豐富得令人驚歎。

看完戲那晚，一口氣讀畢王昀燕《再見楊德昌》的典藏增收版。這訪談錄製作用心，但原來的出版社倒閉了，作者加了幾篇訪問後集資重出。張震說，他以前是個很多話的小孩，拍完《牯嶺街》卻開始不大說話，要到很大才真正明白這電影對自己的影響。剪接陳博文則說，因當時日本發行商想把電影限在三小時，不得已要拿掉一小時，小段小段剪難以成事，結果大段剪走張舉（張國柱）遭拘禁受逼供的段落。看完整版，便見他在空蕩蕩的房間不斷改寫自白書，解釋與大陸師友的關係，但為何受累跟為何獲釋一樣難測，這正是白色恐怖可怖之處，放回家已成另一個人了。

但最大的驚奇還在電影最後一場。張家小妹妹在家中弄翻了收音機，它便自動讀出一串人名。我們在電影開頭已知道，這是台灣當時大學聯考放榜的方法，成敗全村知道，升學的壓力與鬱悶都濃縮在這廣播中。本來是一切寄望所在，現在對張母金燕玲來說都無意義，兒子殺了人，一切都完了，只背着鏡頭，在收拾中呆下來。收音機讀出的名字本來無關痛癢，突然卻嚇了一跳，因為其中一位是：吳宏一。他是我大學一年級的老師，由台灣過來中大任教，我上過他的「詩選」和「詩經」課。但我普通話太差，這些人名不配字幕，懷疑自己聽錯，不過畫面完了廣播還有一句：「以上是中國文學系錄取二十九名」。這堆名字，應真是臺大當年的錄取名單。

聽到吳宏一老師名字，扣連電影的時代壓抑和政治恐懼，想起他大學一年級時看見的老師，那人便是臺靜農。

【二】

臺靜農年青時是左翼作家，魯迅弟子，寫小説，曾遭國民黨懷疑，數度下獄，後來覺得難在大陸立足，一九四六年遷往台灣，寄情書藝。從舊照片見他身型略胖，在旁人的追憶文章中，則常哈哈笑，待人隨和，卻不知有幾多心事放在巖巉跌宕的書法中。

《牯嶺街》兇殺案的原型「茅武事件」在一九六一年六月發生，少年殺人犯茅武是楊德昌的鄰班同學，那年楊德昌十四歲。吳宏一在〈側寫臺老師〉則提到那年九月剛考上臺大中文系，註冊那天初見系主任臺靜農。他說，臺靜農教書不算生動，課堂上卻間中以市儈和無恥形容他不屑的人物，罵完一兩句，起來走幾步，又坐下。尉天驄則曾點出臺靜農其時在嚴峻政治氣氛下的不便，書法鍾情五代時政治上受懷疑的楊凝式，可能是自況。台灣六十年代初的政治氣氛如何？「雷震事件」發生於一九六〇年，雷震等人因「叛亂罪」被捕，《自由中國》雜誌停刊，聶華苓曾憶述她那時雖無牢獄之災，但有特務跟蹤，警察會深夜上門盤問；親友絕跡，自己也免得牽連他人，正陷於孤絕與恐懼之中，素不相識的臺靜農居然來訪，請她到臺大教書，才將她帶進一個廣闊明朗的世界。

看完《牯嶺街》翌日午我去了「舊香居」，臺靜農的《龍坡雜文》一找即得，喜出望外。這小書我以前看過，文字用得尋常，不作意做文章，偶然卻在寬厚中透露出倔強，如〈何子祥這個人〉：「子祥早年傾心革命，投筆北伐，掛了彩，至今身上彈痕猶在，這些英勇事蹟，大可寫自傳，表表功的，而子祥的聰明竟不及此。」書中但凡提及溥心畬、啟功、莊嚴、張大千等書畫知音的段落都精彩，例如追憶張大千的〈傷逝〉。

【二】

張大千與臺靜農是摯交，我覺得近人書法無出他倆。本想去張大千的舊居「摩耶精舍」看看，但遲了在網上報名，額滿去不成。「摩耶精舍」門匾是臺靜農寫的，臺靜農舊居「龍坡丈室」那四字是張大千寫的，二人曾在舍中的大荷葉旁拍了張黑白照，一個長衫長鬚，一個和藹渾圓，從照片所見日光明媚，應是寫意的一天。

臺靜農在台灣的處境不容易，先後寄居香港、印度、南美、台灣等地的張大千看似瀟灑，但讀謝家孝的《張大千的世界》亦見其隱衷。中共掌權之初，罵張大千為資本主義的裝飾品，生活腐化，到六十年代初卻突然改變策略，將他捧為最偉大的藝術家，謂發掘敦煌藝術功不可沒等等，不單以藝術獎金利誘他回國，還使他在大陸的親友發動信函攻勢，據他說，女兒張心瑞和二嫂都受了政治任務試圖騙他回去。張大千知道回去是死路一條，硬着心腸才沒中計。

臺靜農看得見張大千，卻再看不見故友啟功。臺靜農與啟功曾於北平輔仁大學共事，後來一留大陸，一到台灣，音訊斷絕。據許禮平記載，五十年代初，臺靜農託人捎小紙條予在大陸的啟功，慨歎：「回不得也」。時代令那代人常常在走不走、回不回的問題中兜轉。臺靜農在《龍坡雜文》自序謂最初把台北的書齋命名為「歇腳盦」，歇歇腳，原沒久居之意，且北方人不慣台灣氣候，常受濕疹之苦，曾有詩云「丹心白髮蕭條甚，板屋楹書未是家」以自況：「然憂樂歌哭於斯者四十餘年，能說不是家嗎？」

到八十年代氣氛沒那麼緊張，臺靜農與啟功才能通信，晃眼就分隔了近半世紀。啟功後來寫了一篇〈平生風義兼師友〉，文末尤使人心酸，因他說臺公託友人送來了三本書，題字不是「留念」，而是「永念」，且字跡有些顫抖，像拿到三塊石頭。文末標明了時地：「公元一九九〇年十月書於北京」。臺靜農一個月後便病逝於台北，真成了天人相隔的「永念」。

【四】

臺靜農病逝時，楊德昌的《牯嶺街少年殺人事件》開拍了三個月，為三十年前少年時代一宗轟動台灣的兇殺案理出背景。那真是個難以安穩的時代，路上有坦克，連逃學也看見練兵。大人煩着大人的事，中學生則劍拔弩張，成長即變異，無法做安分的人。《牯嶺街》一年後上映，相比侯孝賢同樣拍台灣歷史的《悲情城市》尤其不算賣座，但在《再見楊德昌》的訪談所見，參與《牯嶺街》者無不認為一起創造出難得的傑作。

人都活在歷史的後果中。公平點說，國民黨對異見者的迫害不及中共，但不知幾多家庭卻如《牯嶺街》的張家般被摧毀，那黯然，多少也是楊德昌成長經歷的側寫。上一代的政治壓抑漸去，新的問題卻接踵而來，楊德昌在《麻將》的焦慮與冷峻尤明顯，到《一一》仍有許多離合和空虛，處理卻溫潤多了，一場一場之間的穿插藏閃更勝《牯嶺街》。

今期《聯合文學》有楊德昌專題，在《一一》裏永遠七歲的洋洋早就長大成人，還寫了篇好文章，輕輕點出楊德昌欲為父親的情結，可幸晚年終得一子。現實中，洋洋竟步楊德昌後塵，修讀資訊工程：「他可能更不知道，《一一》演繹了我後來的人生。一種似曾相識，或是一種預言嗎？生命的樂章是這樣開始的：A one, a two, and one, two, three, four...」

《明報》 二〇一六年十二月廿五日

書店與書

那是二〇〇七年初，中大研究生宿舍。冬夜，到走廊盡頭的廚房，從水機斟滿一整瓶熱水回房間，碰到鄰房哲學系的Jacky。談了幾句，如常往我房間繼續談，許多時，直至聽見吐露港旁有火車經過的聲音，才知道天光了，是時候去睡。想起來，那時他說的許多話我其實都聽不懂，竟然還能一次接一次地談下去。他對很多事都看不過眼，總是愈談愈動氣。那晚他卻說，真好，幾個哲學系同學將在旺角開家樓上學術書店，還有小小地方可坐坐，喝咖啡，希望像歐洲的沙龍，然後應是順勢談到哈巴馬斯、公共領域、介入之類，都是那段日子的顯學。

他提起店主之一是他同學Daniel，我說在「希臘哲學」課上認識。那門課有點古怪，原初已只得七八個人，愈上人愈少，最少一次只有我一個。聞說哲學系同學對那位髮型像愛恩斯坦的外籍老師很不滿，Daniel正是其一，來了兩三堂便沒再來。但他在的幾次，我對他印象卻很深。儀表光鮮，開口是流利的英文，對事情總有一套自己的看法，說話間常帶笑，間或鋒利，不小心就嘲笑了人。之後曾跟他聊天，他好像覺得單從哲學看世界太狹窄，然後便再去讀社會學。知道他在西洋菜街開書店，一點也不意外。

又一晚，Jacky在宿舍走廊說，書店快開張了，有個小型開幕聚會，看看我有沒有興趣一起去。乍聽名字還以為是「聚賢」，問清楚才知是「序言」，如一本書的開頭。開幕這種場合，要在陌生人間開朗健談，太難，就沒去。

那時的香港真有些新景象，「序言」可算是繼承了「曙光」走外文學術書路線，同年還有在銅鑼灣的「正文書店」，一年後有灣仔「艺鵠」，另外如「獨立媒體」等仍十分活躍。我和Jacky那年暑假離開了中大。他去外國繼續升學，我則去了成立剛一年、還未搬到九龍城的創意書院教書，每天在那名為教育的無邊大海猛踏水才僅免於陸沉，哪有逛書店的閒情。如沒記錯，應是同年底才初上序言，基本格局和今天差不多，但未有入門的二手書櫃，也未有貓。我把這書店想像得更優雅，事實當然是，香港的租金並不讓人有優雅的餘地，在那樣逼仄的地方，序言的布局已很有心思了。

有次在序言買完書，便順道喝咖啡坐坐。負責的是另一店長Joe，自言曾在酒店沖咖啡。但見他入書搬書的工作都忙，咖啡機在無人吃喝談天的背景下也實在太大聲，為免騷擾Joe和零星的幾位人客，之後還是飲罐裝飲品就算。

求知識的慾望有時是種虛榮，卻往往是起步的動力，從前就是因此而想讀康德。〇八年，序言碰巧舉辦一個「康德讀書組」，覺得機會來了，有人互相砥礪，最少能讀完《純粹理性批判》吧，經 Daniel 推介下，買了 Pluhar 翻譯的黑封面版。讀書組五月開始，閒日晚上兩週一會，那也是我最常往序言的日子。第一回我早到了，正在書架旁隨便翻書，有一男子問：「你是祺嗎？我朋友蘇珏在創意書院教書，不時提起你。」那人叫康廷，想不到這樣的書店相遇，使我們之後成了好朋友。

讀書組來了近二十人，Jacky、Daniel、Joe、康廷都在，完了偶爾一起到附近吃飯，每次錄音上傳，電郵來回討論。但慢慢有些人可能不滿討論方式，也可能因為生活忙，人漸次疏落，剛查回電郵，到八月就停下來。重翻那本字典厚的《純粹理性批判》，那次只是讀到五十頁，不用說，限於資質，根本完全沒讀懂。

康廷幾次之後就沒再來，過了大約半年，卻來了創意書院再辦一個「康德讀書組」，只有蘇珏和我等三幾個朋友。因他用的《純粹理性批判》是 Guyer 的藍封面版，大概為表決心，我竟又再去訂書，地方仍是序言——一直沒信用卡，那時要訂書就專程去序言，希望他們多那一丁點的生意。

新買這本結果也讀不了幾多頁，但不是序言的康德讀書組，就沒有這新的康德讀書組，我也不會愈來愈發現讀書「毋自欺」的重要，總算逐漸摸清了自己的底細，不想充大頭，後來乾脆放棄名字有型的哲學巨著，反倒是種解脱。早前跟康廷提及在序言初遇的畫面，他卻説我完全記錯了。因那時應不知道我的樣子，自然不會在書櫃旁相遇。應是在讀書會首回自我介紹後，知道我在創意書院教書，名字又是祺，想必就是蘇玨提起那位，然後才開始聊天。他的版本無疑更合理。

序言在香港的意義，除了賣書，更在於他勤力舉辦的活動，横跨哲學、政治、宗教、文學、時事等領域，回望十年活動，儼然就是香港另類文化史。翻查筆記簿，〇九年我仍常常去序言的活動。二月，去了「散文與日常生活：留住消逝的親密閃光」，講者是葉輝、陳滅和已過身的也斯。有段時間曾每天看葉輝主編的《成報》副刊，陳滅正是其專欄作者，一直還記住他絕筆《成報》那篇〈造夢者哀歌〉的某些句子。同日在序言買了他新出版的《市場，去死吧》，我初次在《星期日明報》寫書評，就是關於葉輝的散文和陳滅的詩。三月，學校文化日，分組帶學生外出，我帶了幾個學生到序言等書店閒逛，他們高高興興地影了幾張在書店扮讀書的照片。七月，去了《路邊政治經濟學新編》新書會，講者是馬國明、陳景輝和梁文道，還因馬國明的話，回家後重翻他的《班雅明》，並在筆記抄下了書中這段話：「天使不能喚醒死去的和修補過去的，人卻可以回望過去，從過去的碎片整理出一個人生。」如此，序言不止書店，更成了一聚腳交流處，因有不少媒體報道，總算捱過了開頭的難關。

我之後更常在報紙寫書評，Daniel 大概讀到我的文章，有時見我進書店，很快就聊上幾句，並自如地引申到他對一些書或事情的看法，總能侃侃而談，仍然是邊說邊笑。店內正在看書的客人雖繼續裝看書，但心神自然都給他引過去。我反應慢，且懂得的都已寫在文章上，不想亂說，多數只是笑笑口點點頭。

過了一段時間再去序言，除了發現仍偶有中學生拿着書單上來找教科書，還發現櫃台對面的書櫃上方，放了一小塊倒後鏡。啊，竊書不能算偷，這樣的地方也有人竊書。再看，旁邊還貼有一小告示，兩行話，每句四字，下句忘了，上句印象深刻：「小本經營」。語氣謙卑得令人動容。

後來不再見到Joe，咖啡機好像也不見了，也少見到Daniel，坐在櫃枱的的更多是Timmy。總不好意思混吉般空手離開，但家中當看而未看的書實在太多，有時逛完一圈，尤其是借廁所之後，便象徵式地買罐汽水。也忘了是何故，之後就開始少上去了。過一段日子再去，發現那幢大廈的一樓開了家修甲店，店主有心思但也自私地用閃令令的粉紅和金銀碎石，鋪滿地下往一樓的樓梯。上序言無可避免要走過的幾十級樓梯，頓時浮誇了幾十倍。到了一樓，再看升降機內的四壁，也有各種宣傳與語言發洩的爭奪，有粗口有政治訴求，有撕毀有重貼，就更覺得，上序言這一小段路，真是在香港辦書店的縮影，從來沒有躲進小樓這回事。

近幾年，興趣轉變，乘電梯出七字樓，往下走到「梅馨」看看舊書的機會，還比往上到序言多。太懶，訂書直接找同事幫忙；怕人多，連旺角也愈來愈少去了。上月，在中大圖書館的樓梯偶遇Jacky。他說真巧，Daniel 想找我為序言十年寫篇文章，卻沒了我的聯絡。一想，那個吐露港旁早班火車尚未開出的冬夜，已是十年之前。只是十年，香港的變化之大，哪是當日能夠想見？林榮基之事後，開書店也變得不簡單。寫了電郵地址給Jacky，兩晚後收Daniel 邀稿的電郵。他建議的香港文化生態和閱讀風氣我都無高見，卻立刻回覆説樂意寫，正正因為以上種種過去的碎片，以及他們反照的那些曾短暫交疊的人生。

《字花》　二〇一七年一月／第六十四期
《十年一隅：序言書室十年記念集》

旅途與書

許多年前，在西班牙南陲知道海的後面就是摩洛哥，去年暑假終至彼岸。途上帶了美國作家鮑爾斯的文集 *Travels*，末處有篇名為“Paul Bowles, His Life”的未刊稿，是他晚年用第三人稱，順時序點列式回顧一生。想來這的確是遊記，只是目的地不是世界任何一個角落，而就是這世界，用一生遊一次，不可重遊。他這長途旅程有樂有悲，如年青時：「他快樂，寫了些字，幻想那就是詩」。

但世界畢竟是殘酷的，他往巴黎拜訪藝壇領袖 Gertrude Stein：「她說他不是詩人，他便停了嘗試。他於是專注於音樂。Stein 也不喜歡他的音樂。」幸好他沒給摧毀，幾條之後說：「Orson Welles 有兩個劇作需要音樂，他便寫。」那年鮑爾斯才廿六歲，威爾斯只廿一，要多等四年才開拍《大國民》。鮑爾斯聽從 Stein 之見到了摩洛哥，從此與這地方結緣，成下半生寄居之處，代表作 *The Sheltering Sky* 是他與妻子在沙漠經歷的側寫，倦怠，虛空，仿佛也預示了二人日後的悵惘。

他在照片中常拿着煙，似是個疏放的紳士，在摩洛哥的主要工作則是寫作和紀錄民族音樂。我到 Casablanca 時正值齋戒月，市面活動減少，每天五次由叫拜樓傳出的禱告召喚，更具主宰日常生活的力量，但不知是否口腹影響了心情，碰見的人好像不甚友善。轉往淺藍色的 Chefchaouen 時齋戒月剛完，人的笑容也如陽光充沛。睡時雖總擔心明朝會喉嚨痛，但早上起來，摸摸晚上才洗的衣物經已乾透，確有說不出的清新。因為乾，熱也熱得明確和公平——給陽光曬着酷熱，一躲在蔭處清涼。有天經旅館老闆介紹，跟當地一友善的大叔往山上走，到他位在山腰的小莊園。他不懂英文，我不懂法文，這位提着煙管有俠氣的大叔，還是邊走邊介紹各種植物。山漸高，烈日下幾乎中暑，雖然到達時真像武陵漁人般驚喜。中途看見呆在崖邊等待主人的兩頭驢子，也穿過他鄰居的叢林，一片鮮綠，種的都是大麻。

大麻在摩洛哥十分普遍，後來到 Fez 那些後巷，便總有人站在街角，孵小雞似的掬着手，待有人經過打開求售手中貨，據說有時還有鴉片。鮑爾斯說只要沒幽閉恐懼，大抵會覺得 Fez 有中世紀遺風，古老迷人。他說那時城內有位老人從未看過汽車，告訴老人乘車會比乘驢更早到達，老人回答：「但為何要更早到達呢，或許法國人想只要走得夠快，死亡便捉不到他們。」我在 Fez 沒遇過這種智者，有晚倒在進舊城時遇上一男人，說遊客在迂迴窄路中容易迷路，他順路回家，可一起走。本說不用了，但他自動跟在身旁，笑說自己不是壞人，在小學教《可蘭經》，還開始講解些舊城風俗。街燈昏暗，路又難找，唯有跟着這老師走，中途去了他相熟的商店和餐廳。走了很遠的路，腿都累了，一個高佬突然走近，拍拍我，然後指指小學老師說，在這裏請導遊是要付錢的。一看，老師突然變臉，說就給一點錢大家好過吧。二人趨前作勢恐嚇，幸好看見不遠處就是舊城出口，急步走，逃離時簡直鬆一口氣。

輾轉到了薩哈拉沙漠。不是現代旅遊業之助，我不可能來到這裏，途上在沙漠也看見了些迪士尼那種代表「原始」風格的旅館，很詭異。但一旦待在沙漠，人工物再發達，大自然也不會媚俗了半分。在營幕過夜，帳篷裏太熱，索性在外蓆地而睡。誰知深宵肚痛，獨個起來，旁人枕藉地上，離開營幕走遠一點找地方解決。前面是大石，再看，原來是一列坐下休息的駱駝。抬頭，頓時明白何謂"the sheltering sky"，天似穹廬籠蓋四野，原來是這意思。鮑爾斯曾以"baptism of solitude"形容薩哈拉。確然如此。見大自然之所以為大，在那絕對和冷漠下，不免感到徬徨。何夜無星無空寂，少的只是肚痛起來的人。

後來從 Marrakesh 到了 Essaouira，既因順路，也因 Orson Welles。《大國民》後十二年，他改編莎劇《奧賽羅》，吃盡苦頭，自己監製自編自導自演。序幕那場喪禮便在

Essaouira 取景，我只看過一次，卻難忘那多雲的天空，那城牆，那很大的風。城內最大的廣場以 Orson Welles 命名，正中還有一座紀念碑，其肖象卻已給人塗鴉。日落時，坐在海邊看看海鷗看看遊人，草帽全是戴來給吹走的，否則就無法顯見風之飄忽，也少了舉目那許多呼叫與傻笑。那都是人生中較寫意的時刻吧，連俯身拾帽都像慢鏡。威爾斯忙着籌錢拍戲大概沒此閒情；鮑爾斯中年以後也不見得特別快樂，妻子跟一個他很懷疑的摩洛哥女人一起了，他後來還中風，健康日壞，捱了十幾年後死去。“Paul Bowles, His Life” 如是終結：

There continued to be more and more people in the world.
And there was nothing anyone could do about anything.

《字花》 二〇一六年一月／第五十九期

伊朗拾零

數日前，特朗普頒佈針對七個伊斯蘭國家的入境禁令後，有兩位在NBA作賽的蘇丹球員，一度不知應否隨隊作客多倫多速龍，因恐妨比賽完了不能重返美國。另一邊廂，因伊朗對美國的報復政策，又有兩位在伊朗超級聯賽的美國籃球員，在杜拜渡假後回不了伊朗。這兩天，兩國因導彈問題的互相威脅還不斷升級，怎能不想起伊朗導演阿巴斯一九七五年的短片 *Two Solutions for One Problem*。可惜仇恨再度勝出，兒童電影哪裏只是給兒童看的。特朗普早應看看。

因 *The Salesman* 獲奧斯卡提名的伊朗導演法哈迪（Asghar Farhadi）與女主角Taraneh Alidoosti等，隨即宣布拒絕出席頒獎禮，以示抗議。去年七月，曾在伊朗見這電影的宣傳海報，有人努力起牆，有人則努力拆牆，借擅長的媒介來說自己地方的故事，也使不同背景的人互相認識，法哈迪前作 *A Seperation* 裏那位充滿掙扎的女傭，就曾讓我對伊朗一些社會肌理有基礎的理解。她躲在廚房不敢出來那幕直叫人咬緊指頭。

昨天在網上一個關於伊朗旅行的群組，看了眾人對美國禁令的反應。裏頭有伊朗人有外國人，有些說根本不稀罕到美國，有些希望其他人停止張貼太多政治言論，有些希望其他人不要干預其他人張貼政治言論。從這些對答已知道，人是多麼的複雜，英國作家Christopher Hitchens說得好："It especially annoys me when racists are accused of 'discrimination.' The ability to discriminate is a precious faculty; by judging all members on one 'race' to be the same, the racist precisely shows himself incapable of discrimination." 我對世界不存幻想，卻始終相信文化有助人累積細節，培養分辨能力。旅行也是。

雪馨

去年到伊朗前一週，土耳其、孟加拉、伊拉克相繼傳出恐襲消息。出發前數天，還傳來阿巴斯的死訊。我最初就是因他的電影而認識伊朗。

在德黑蘭首天，好奇還有否阿巴斯的回顧，傍晚到了三層高的藝術中心（Iranian Artists' Forum）。門口有一水池，斜上方有部大電視，播放中心各活動的宣傳短片。抬頭一看，竟是阿巴斯電影中，一位正在戲院邊看電影邊流淚的女子，霎時分不清出自《我的羅密歐在何處》還是《雪馨》。以前看這一短一長，最大感覺，是戲院果然是個安全地方，一起看發光的電影，在暗裏流各自的淚。待完場燈一開，又整頓衣裳，各散東西。現在，她竟在光天化日下一次又一次流淚。

藝術中心底層是書店，問了正在搬書的店員，他說兩天前有阿巴斯電影的全天回顧，都完了。只好看看書，剛才那店員旋即回來，拍拍我說："For you."一看，他手中是張阿巴斯的海報，設計不算精美，但心意多麼好，連忙道謝。藝術中心附近一家咖啡店，門上貼了張阿巴斯活動宣傳。走進去問店主，他不大懂英文，但慢慢知道他意思，是前幾天在店內重播了幾部電影。抬頭四看，店內並無布幕或白牆，好奇，在哪裏放？他指指，就在店中那部小小的電視機。真有意思，同樣是心意啊。臨行，他還說了幾句話，"...USB?"。聽不明白，再問問，原來他指如我想要那些戲，可在電腦過給我。

離開德黑蘭後到了小城卡山（Kashan），下午酷熱，商舖關門，閒來無事，有天便到旅館旁一家圖書館走走。門口放着些童書，其中一本圖畫質樸可愛，講兩爺孫的關係，看不明結局，問職員。他仔細為我解釋那出奇悲觀的橋段，順帶說書面印有的雀鳥標嘜，是「伊朗兒童和青年智力發展研究所」。那就是阿巴斯當年工作的地方，因此早期才拍下那許多小孩的臉，有在窄巷遇狗之恐懼，有為賺錢看球賽而騙人之奸詐，有急欲還功課而遠行之堅執。

回港後再看《踏破鐵鞋無覓處》（*Where is the Friend's Home?*），除先被片頭那雀鳥標嘜觸動，更留意鄉間發展那線索：舊木窗都給換成新鋼窗了，但也正是尚在的幾個老木窗，夜裏透出繽紛圖案，為迷路於風雨的小孩提供難得的溫暖：漆黑中打在牆上的色彩略給放大，富劇場感，瞬間有點超現實。到第二天，鄰桌同學的功課簿終被大人撕去了兩頁，卻多了朵幾乎給人忘卻的花。

的士司機

在伊朗，從德黑蘭向南走，到色拉子回程，因想看看伊朗電影中那種蜿蜒的山徑，最後幾天再轉往山區 Alamut。一個月裏，除了一位存心欺騙的巴士司機，碰見的人大多友善，友善起來會送茶送飯，有趣的是熱情得來都隱隱有些靦腆，但總之想你喜歡伊朗這國家，跟旅行前聽聞波斯傳統的殷勤好客相近。

當然，對遊客的善意可能只限於歐美和東亞人。出發前看朱凱廸從前的博客，說他那時在德黑蘭學波斯文，因樣子關係，常遭伊朗人誤會為阿富汗人，不時受到白眼，故特別愛跟同受白眼的阿富汗人交朋友，有些是為政治原因才逃亡到伊朗。在伊朗有次跟人談話，也留意到他言談間對阿拉伯人和庫爾德人的輕蔑——倒想起曾在土耳其的 Selcuk 遇見兩新加坡男孩，說到香港旅行時，講國語時常常被罵，後來決定餘下日子轉講英文，即得到許多尊重。

在德黑蘭曾遇一位司機，很有意思。有晚夜了，坐的士回距離不遠的旅館。司機是個健談的年青人，知我來自香港，開始教我用伊朗語 Farsi 由一數到十。從我一程車就學會了這事實，除可見他充滿耐性，還可印證德黑蘭的交通擠塞果然名不虛傳。他在大學修讀機電工程，畢業後日間在銀行工作，一週有幾晚駕的士幫補幫補。塞車中途，他特意拿出電話給我看他穿西裝在銀行工作的照片，因那銀行離我的旅館不遠，他說笑要是在銀行碰見他，千萬不要大聲說坐過他的的士，他不想人知道。我說之後將到古城 Persepolis，他說電話裏有該地的相片，我說不用了，到時親眼看更好。他為了摧毀我的計劃，邊駕車邊笑着硬要把照片放到我面前。

我在伊朗長大

行前讀了美國歷史學者保勒（William Polk）的 *Understanding Iran*。保勒六十年代曾任美國外交顧問，寫時有意突顯自己與後來小布殊政府的距離。歷史充滿荒謬。伊朗的軍力為何足成美國之患？正因為美國為了發財，歷年不斷賣軍火給伊朗，甚至誘使受美國操控的沙王（Mohammad Reza Shah）相信，軍力將足以媲美蘇聯。要不是這沙王於七九年給革命推翻，伊朗還很大機會繼承美國的核武。

歷史充滿矛盾。這位沙王治下的數十年，伊朗在生活的層面相對開放，女子不用戴頭巾，可穿短裙，不禁酒，有麥當奴和肯德基，也有外國電影。如同動人的《我在伊朗長大》（*Persepolis*）所說，父母那代年青時還有些生活的餘裕。但七九革命後，一切都改變了，霍梅尼（Ruhollah Khomeini）成了宗教與政治的最高領袖，社會走回宗教獨大的路。八九年六月三日，霍梅尼過身，他們的八九六四也不無風浪，但較巨大的轉機，則要待二〇〇九年改革派領袖穆薩維（Mir-Hossein Mousavi）之參選。穆薩維隨後被軟禁，至今仍未自由。保勒借以比較的，正是趙紫陽。

回頭看兩伊戰爭的段落，就更明白伊朗對美國的憎恨。八六年，美國把戰場上的衛星圖片賣給伊朗。到八八年，恐怕政權還未被美國顛覆的伊朗太快勝出，又把圖片賣給伊拉克。臨行前除了看伊朗電影，像麥馬巴夫（Samira Makhmalbaf）橫空出世的 *The Apple*，也看了美國人有關伊朗的電影，如講美國使館人質事件的 *Argo*。電影上縱有高明處，*Argo* 的大美國主義也實在令人難堪，最後半小時看得尤其如坐針氈，邊想一眾伊朗導演如不幸看了會有何反應。

雖然德黑蘭舊美國領使館等地都有反美塗鴉，自由神像成了骷髏骨，但旅行所見，伊朗人對西方的態度也不全壞。在伊斯法罕那幽美的廣場，不止一次看見幾個青年離遠看見我，左右商量，然後一起走過來。大膽那位先開口，一條條地問："Where are you from?"，"Do you like Iran?"，"What kind of food do you like?"。他們原來希望找外國人練英文。

一次是兩個女孩子，走過來後，只跟華欣談天，過了好一會才跟我說話。她們讀高中，年紀跟我在香港的學生相若，生活和想法卻大異。她們說，大學之前，所有男女都分開上課，所以男孩子上大學要克服的一大難題，就是如何跟異性相處。她們家住廣場附近，暑假的消遣，便是傍晚到廣場找遊客談天，練英文，順道認識外面的世界，因她倆日後都想到美國升學。她們的妹妹和媽媽晚上也來了，媽媽是個想法獨特的肥太太，英語流利，希望移民美國，還不忿說若非七九革命，伊朗今日的旅遊業當勝土耳其。因我們為她們畫素描做禮物，她們看見我畫的一幅後哈哈大笑，肥太太堅持請我們吃晚飯，還偏要帶我們去一家美式餐廳吃漢堡。當時她們哪裏可想像半年後的今日，美國會有這入境禁令。

蛇形刁手

廣場晚上熱鬧如中秋，一群群少男踢足球，打排球，也有小女孩圍着踏單車和玩滾軸溜冰——只因她們還年幼，十來歲就不可這樣自由活動了，會給警察喝停，只能跟大姐姐一樣在旁吃雪糕和不經意地看看男孩。有晚在廣場蹓躂，又被一位爸爸邀到他三代同堂的家庭一起野餐。我雖已吃飽，還是不好意思拒絕他拿碗為我舀的湯。他知我來自香港，反應跟許多伊朗人一樣："Jackie Chan!" 說時當然全無惡意。初時總想否認，會答："Bruce Lee"。慢慢也放棄了，因事實的確是伊朗出了阿巴斯，香港出了成龍。

結果在伊朗竟常想起成龍。我至今翻看得最多的電影，不是周星馳，而是成龍早年的《蛇形刁手》。小學返下午校，有段時間，每朝用錄影機重看這戲，除了鍾情功夫，大概同情成龍演的孤兒仔傻福寄人籬下的淒涼。後來看《醉拳》，成龍竟變成練精學懶的詼諧富家子，只覺非常難受，成龍不應是這樣子的。八九十年代看成龍電影，最深刻往往是片末的NG，他一個人就象徵了時代的奮發，很難不佩服他，何況那時他還未發展到拍照時雙手V起左右自轉。到了中學喜歡李小龍，覺得這種功夫才有尊嚴，希望藉此淡忘曾喜歡成龍這事實。

在伊朗，有次跟一小男孩聊天，他最後尷尬地問："Can you give me... some souvenir?" 連忙在筆記撕下一張紙，打算抄些中文字給他。但該抄甚麼呢?信手寫下的，竟是「以無限為有限，以無法為有法」。寫完，自己也嚇了一跳，他卻好像很高興。不是遠行，也未必發現成龍與李小龍對我影響之深。後來跟曾到伊朗的舊生勺嫚閒談，知道她在伊朗也有許多「成龍」經歷。她說，聽了總是勉強笑一笑，因大家都熱情在找連結，所以又覺得不能嫌棄。說得真對。

麵包與小巷

在小鎮 Qazvin 街上，看見一個男人面前放着一個磅，給他五毫便可知道自己最近輕了重了。想起從前戲院大堂也有磅，一直不明看電影跟磅重的關係。現在誰都不喜歡大庭廣眾磅重了，電影也再不是數一數二的大眾娛樂——那幾天得悉香港時興的活動叫 Pokémon Go，人人晚上四處捉精靈，但一六年還未過，又已變得過時，生活好像菲林放得太快人人總在急步的默片，連煎好一隻蛋的時間也沒有。

最後兩天回到德黑蘭，偶然又遇見阿巴斯。今次在當代藝術館，展覽名為 "Karnameh Visual Culture of Iranian Children, 1950-80"，初段以伊朗五十年代兒童課本設計等，呈現其時教育的一些取向，由抄襲西方，慢慢變成靠本土藝術家發展出自己的特色。冷戰剛起，美蘇在伊朗的角力也延伸到視覺語言。五三年，英美聯手策劃伊朗政變，推翻民選首相摩薩台（Mohammad Mosaddegh）而扶立沙王後，美國借以影響伊朗小童的，就是迪士尼產品。「石油輸出國組織」於六〇年成立，伊朗經濟有一段興盛時期，展覽説，伊朗為了在國際建立親和與進步的形象，六五年成立了有雀鳥標嘜的「伊朗兒童和青年智力發展研究所」，參與其中的伊朗藝術家都具藝術自覺，一方面革新兒童書籍，一方面創作兒童短片和動畫，抗衡電視台買回來的美國節目，形成一股大膽創新的潮流，阿巴斯的《麵包與小巷》就是在這背景出來的。

展覽最好看的，包括七十年代的兒童電影海報，大部分出自 Farshid Mesghali 之手，設計與字體都受迷幻藝術（psychedelic art）影響，色彩繽紛天馬行空，也有幾張出自阿巴斯。但到七九革命和八〇年開始的兩伊戰爭後，海報風格大變，寫實和悲情得多，兒童旁邊多有坦克、槍和鮮血，把小孩塑造成戰爭英雄；有的則是倒臥街頭，成了年紀小小的殉國或殉道者，不知跟保勒形容歷史上潛在於什葉教派的失敗情結和罪咎感有多大關係。這藝術風格的轉變，背後都是人命，看了不免黯然。

合唱

大人搞政治，小孩子吃苦，有些沒了生命，有些沒了可以更快樂的童年。在色拉子曾見這一畫面：午後，正要離開伊朗詩人哈菲茲（Hafez）的墓園，突然聽見身後一堆童稚的聲音在朗誦，回頭看，陽光下，一位老師帶着數十個小學生，圍在墓旁背誦哈菲茲的詩，一片和樂。那聲音，使我想起阿巴斯的短片 *The Chorus* 中，也有一群小孩在叫喊，不是詩，而是為了叫喚樓上耳有點聾的爺爺。聚集的小孩愈來愈多，聲勢浩大，終喚起老人為小孩開門。現實中，在重重禁令、圍牆、仇恨之間，不知小孩的門又在哪裏？

《明報》 二〇一七年二月五日

南美札記一：秘魯的罷工罷市

不為標奇也不是反科技，純屬自己跟自己玩的遊戲：希望能把陳年 Nokia 用壞為止，故仍未轉用智能電話，且旅行時不帶電話電腦，七八月在南美，只能間歇粗知香港新聞。由悼念劉曉波的集會，到東北十三人再到公民廣場三子被重判，心中是一沉再沉。碰巧，由秘魯到智利、阿根廷和烏拉圭的旅途上，屢見政治對人的種種影響，有的顯著直接，有的千迴百轉，我將分次談談見聞，由秘魯開始。

古城庫斯科（Cusco）是欲往馬丘比丘的遊客聚腳之處，又是印加帝國的首都，名字原意「肚臍」就指其位處核心，自然成為秘魯最重要的遊客區。七月陽光燦爛，本來一片繽紛。但在庫斯科首晚，已見人拿橫額在法院大樓外示威，有人舉着無政府主義旗幟站在外圍吶喊，也有人戴上面具譏諷政客。不懂西班牙文，只能斷斷續續問得大概，是不滿三屆前的總統托萊多（Alejandro Toledo）貪污，希望將之從美國緝拿回國。正要覺得這種前政要貪污案頗符我對南美政治的印象，便霎時停下，不，分別只是他們的叫前總統，我們的叫前特首。

庫斯科的罷工罷市，則在步行共四天的印加古道（Inca Trail）的第三晚知道。當年印加國王得悉西班牙人之兇殘，料無法抵擋，宣佈棄守馬丘比丘這峻工才百餘年的聖城，並自毀來往山路以防被人發現。今日經此路到馬丘比丘，須由當地導遊帶領，有些人嫌太大路不喜歡，我卻始終想一看。導遊第三日忽憂愁說，行程或有變更，因本已罷工的秘魯公校老師行動升級，正與支持者佔據往馬丘比丘的火車路軌，我們翌日離開時可能要徒步路軌上。或因是同行，我對老師的處境很感興趣，導遊卻只煩着應變，對老師沒好話說，只謂好老師都到私校去了。

第四天清晨到達馬丘比丘，日出後濃霧漸散如水墨畫，人不多，導遊說因示威者撬壞了路軌，火車停頓，遊人約是平日一半。回程便在路軌上徒步三小時，只是小事，不料還有下文。上了旅遊巴回庫斯科不久，發現荒村路上不時有刻意放置的大石，司機得左閃右避。天色漸暗，司機慢駛，路旁是一輛接一輛拋錨等待換軚的汽車。旅遊巴上一美國女孩要趕凌晨飛機，頗焦急，卻仍耐心上網理解事情始末。英文的資訊不多，也不肯定哪些可信，只知醫生不滿公共醫療開支不足，病人有時要睡在醫院地上，於是加入工運支持老師，連帶引發出民眾一直對政府的各種不滿，庫斯科同日發起兩天罷工罷市。

路上的石塊愈來愈大，忽見前面還橫擱着一輛貨車攔住往來道路，司機不得已褪車繞上山路，兜兜轉轉，回到庫斯科已夜深。翌日在旅館遇見另一遊客，他說他們那位司機中途太累，須從遠處找替工，他們就在路上等待，早上五時才回來。同房一位年邁的法國婦人一臉倦容，說起昨夜從別處來到庫斯科，中間路被堵了，要拖着兩箱行李深夜下車步行數小時，再轉的士才來到，狼狽也驚恐。

旅館的接待處有數人聚集，我本打算晚上到南方去，馬上知道來往庫斯科的長途巴士全部停駛。我時間較鬆動，多留一天沒所謂，但見其他要趕路的遊客無端滯留，無奈匆匆付錢改機票。此時一女子拿着地圖問職員藥房位置，職員說商舖多關門，只能碰碰運氣。我雖同情她，也知罷工不是玩遊戲，但可能是遊客心態，愈偶發極端愈獨特難忘，而且罷市罷工都是香港大忌諱，阻人搵食或發達皆死罪，難得一見，心裏其實有點興奮，急不及待外出看看。馬路空蕩蕩，車輛全停駛，耀目陽光下，幾個人正搖着三米高代表原住民的七色格仔 Wiphala 旗幟，領着遊行隊伍。

商舖幾乎全部落閘，開日最旺的 San Pedro 市場整個關門，唯一營運的是報攤，眾人圍在攤旁觀看不同報章的頭版，也有幾個小販賣 cerro、雪糕和鮮橙汁。市民對罷工似乎不陌生，早已站到不同隊伍去，叫口號，鼓掌，小休時就一起坐在路上閒聊。

大教堂外放着巨型喇叭反覆播放《國際歌》，也有人打鼓吹喇叭，或抬着棺材道具，只是沒香港那種戴口罩的黑幫出來搶走破壞。防暴警察只守在政府部門外面。

我跟着走了一會，中途看見郵局，想起要買郵票，只見職員守在關着的幕門後，見人探頭才開了小縫讓我進去。每有機會就找人問問詳情，不容易，慢慢也發現他們對示威的想法各異，最大關懷亦已從教師工資和公共醫療，轉移到庫斯科附近Chinchero的新機場問題。

起初遇見的人都說，是政府失信，拖了廿年仍未為庫斯科興建國際機場，欲往馬丘比丘的遊客都須先至利馬，再轉乘廿多小時巴士或轉內陸機才到達庫斯科，拖慢城市發展。但後來跟隊伍中兩位拿着海報和錢箱靜靜籌款的年青人傾談，卻聽到另一版本。男子叫Omar，女子叫Leysi，同在大學唸牙醫，英文較好，因不滿醫療開支不足，正為癌症病人賣旗。談着談着我們就站到一旁去，背景慢慢由人潮變成孤清大街。他們說，旅遊業是庫斯科經濟命脈，佔路軌是施壓的最佳手段，已往也發生過，雖然其他地區的人未必喜歡，怕人不再到秘魯。遊行是不滿政府跟新機場公司簽下的合約，因當中懷疑有利益輸送，且機場選址有問題，所以不是希望政府加速興建，而是中止合約，從頭考慮。

因兩位大學生的話有最多細節，我傾向相信他們，但也可能遊行本來就有相衝突的要求，才有不同隊伍。二人又說，公校老師已忍了一段日子，他們月薪八百五十索爾，約二千一百元港幣，少於私校的一千二百索爾。在庫斯科我找到最便宜的全餐（稱為"menu"，有湯有餸有飯有飲品）要八索爾，約二十港元，故月薪八百五十索爾實在少。問題是政府不久前還為警察加薪，火上加油。我問了他們讀書的情況，以為他倆是希望在示威中做點另類事情，他們微笑說，不，籌款的日子早定了，看，海報也印好，沒理由因罷工而取消，就繼續賣旗。找回遊行隊伍，拍照中途卻忽被人大力推開。一看，原來另一人正在我腳邊放下小型煙霧彈，他怕我太接近。見人俯身點火只本能地走開，爆炸一刻如槍聲，吃了一驚。煙霧彈不為傷人，只希望維持聲勢。他們遇上警方攔路時略有推撞，也對幾間仍做生意的店舖投以碎石和噓聲，店東不得已關門，但氣氛基本和平。

到第三天，罷工如期結束，早上出門又見庫斯科車水馬龍，一切如常。後來在新聞知道，幾日之後，上屆秘魯總統烏馬拉（Ollanta Humala）及其夫人因不法收受捐款被拘捕，民間仍有零星示威，抗議現屆總統可能不遵守參選承諾，欲特赦五屆前在總統選舉擊敗了國寶級作家略薩（Mario Vargas Llosa）、後來卻因反人類罪行給監禁廿五年的藤森（Alberto Fujimori）。前後幾位總統，都無法脫身於質疑與監禁。

不是在庫斯科遇上罷工罷市，我也未必主動跟當地人談時局。所知注定零碎，唯有想總比完全無知好一點。及後在南部的阿雷基柏（Arequipa），晚上在廣場仍見人點起燭光聲援庫斯科的罷工老師。數日後由這清幽的白色城市乘長途巴士南下，我坐巴士最前，頭上的電視播完 *Star War V* 播 *Star War VI*，西班牙文對白配西班牙文字幕，完了再播北美那種整蠱途人的偷拍節目，沒對白，罐頭音樂配罐頭笑聲，突然全車一起笑，回望才發現大家原來都在抬頭看，看完便差不多到達邊境。再跟一眾從智利過來買一箱箱便宜日用品的嬸嬸迫巴士離開秘魯，便到達智利最北的阿里卡（Arica）。我對智利政治的接觸，則全落在聖地牙哥一位女子的身世上，迂迴曲折，下回再續。

《明報》 二〇一七年九月十日

南美札記二：智利女孩與阿連德之墓

前幾天跟學生談起美國九一一，有學生忽說，啊，那時還未出生，才驚覺是那麼久遠了。我之後播了簡盧治（Ken Loach）十多年前在《他們的九一一》（*11'09"01 September 11*）那短片，講美國一九七三年策動的智利政變，九一一那天，推翻了民選左翼總統阿連德（Salvador Allende），扶植獨裁者皮諾切特（Augusto Pinochet），摧毀了多少智利人的一生。但今回重看，倍覺黯然，全因在智利遇見的一位女孩。

昔年在瑞典讀書，每有空就到西班牙友人Jorge房中吃飯，他牆上貼着一張兩米闊一米高的世界地圖，我們常在前面手比指劃，想着該到哪裏去，好像真有錢一樣。他最常提及的就是智利，長而窄，一國便有地球上的眾多地貌，由北到南，可涉足沙漠、鹽湖、火山、森林、冰川，自此一直被這描述吸引着。而今與Jorge已失去聯絡，我卻獨個到智利去了。

世界有千迴百轉的聯繫，我在智利北端的阿里卡（Arica）第二天就遇上。這海邊小城久留嫌悶，短住怡人，那天午後在旅館上網，看到香港四位議員被DQ的消息，十二萬選票一夜無效，刻意讓人覺得兒戲。心中鬱悶，打算出外散散心，但知方向，不辨街道，亂走了一會，抬頭忽見一中文招牌，寫着的竟是——「新香港」。那是家唐餐館，門關着，奇怪的是我在城中從沒見過華人。不知「新香港」何時才會開門？

後來在首都聖地牙哥，發現了世事更奇妙的連繫。晚上到達旅館，開門的是打工換宿的英國人Rex，店東Ivan正在大廳梳化看電視，手指指對着熒光幕謾罵。那是個新聞特輯，內容我固然不明白，只見一位女記者拿着咪追着一老頭，老頭見狀快跑，回望的一刻，鏡頭凝住，旁邊彈出一個金額，很多錢。然後她又追着另一老頭。問Ivan，他說這堆人全是獨裁者皮諾切特的舊部，一直受政府供養，那些金額，就是納稅人最後付予他們的退休金。“Puta la wea!”，他又罵，Rex邊奸笑邊把這句髒話抄到白板的“Chilean slang of the day”下面。談起皮諾切特，Ivan着我看看紀錄片*Chicago Boys*，講的是五十年代智利一批到了美國追隨費利民（Milton Friedman）的新自由主義經濟學家，後來在皮諾切特政府如何拿智利做實驗。但Ivan也謂恨還恨，今日智利紅酒白酒的出口、地鐵的興建、巴塔哥尼亞（Patagonia）的公路建設，都跟當年的政府有關。他見我初來，說有個free walking tour據說不錯，翌日不妨去看看，可對聖地牙哥有初步認識。

翌日早上到了公園，還有五分鐘活動便開始，但一個人也沒有，正發現自己去錯了地方，一位年輕女子便笑着走過來。因常有人錯到這邊，她習慣每次出發前兜過來看看。這位 Valentina 的英文有濃厚英國口音，在南美很罕見，回去集合地點時問起，知道她曾在倫敦生活多年，大學讀人類學，畢業後才回智利，住了不到半年。她喜歡紀錄片，也希望做演員，但未有機會便先做導遊，既可跟人聊天，也可靠貼士幫補生活。

跟其餘幾位團友匯合，Valentina 說早上這個是“offbeat walk”，不看歷史或政府建築，只重庶民生活，會到兩個大街市逛逛，最後到墓園。她有時站到街角講解智利的民生，但我更喜歡與她在途上的漫談。我說我也喜歡電影，對智利政治的認識，正是始於簡盧治的《智利九一一》短片。Valentina 忽說，真可惜，片中那位寫信、唱歌、憶述平生的智利演員和音樂人 Vladimir Vega，幾年前自殺過身了。我聽後呆了呆，想起他在片中拿着結他急弦高歌，好奇 Valentina 怎知道這消息。她說在倫敦時常跟較她年長的人玩音樂，輾轉認識這位七三政變後被囚禁、後來流放到倫敦一直無法回國的智利難民，得知消息也只覺唏噓。

她介紹聖地牙哥時，常強調平民的勞動，如在大街市 La Vega Central 時就謂智利物價昂貴，平民真要胼手胝足才能糊口；談及智利社會的不公則常帶憤恨，說這是南美最不公平的國家，貧富差距大，大學學費就荒謬地比倫敦還貴，窮苦學生迫不得已要到大學免費的阿根廷去。她也說起那幾天正有女權組織示威，希望推翻禁止墮胎的法例，有需要的女人不用再以「盲腸手術」含糊其辭。中途我們站到一旁，聽她說了這故事：聶魯達（Pablo Neruda）有年受 La Vega Central 邀請到街市念詩，這位思想左傾的詩人自是興奮，想為街市寫首詩，但可能太緊張，平日敏捷詩千首，今回就是寫不出。結果當日他念了首舊詩，或許太長，前來的工人愈聽愈寧靜，好不容易二十分鐘過去了，詩讀完，聶魯達正不知怎樣打圓場，看看觀眾，卻見有工人正流着淚，且流淚的人愈來愈多。他們說，平日早出晚歸都在勞碌，是你的詩，讓我們重新記起生活的喜悅。

離開街市，我說數月前才看過電影《流亡詩人聶魯達》。Valentina 笑說聶魯達雖是共產主義者，卻有三間屋，幾個故居中以黑島（Isla Negra）那個最有趣，放滿他的收藏品，如貝殼、酒樽、放在船頭那種女神像——我數天後乘數小時巴士去了這間對着太平洋的小屋，精緻怡人，有火車頭、有一比一的玩具馬、有他看海的望遠鏡，全是性格的展現，深感他果真竭力守護童年，畢生在哄心中的小朋友高興。Valentina 又說，近幾年有更多證據顯示，支持阿連德、於九一一政變後十二日逝世的聶魯達並非死於癌症，而是受皮諾切特毒害，懼怕的正是其感染力。

到達墓園入口，我倆的話題又回到簡盧治。她問我看了 *I, Daniel Blake* 沒有。我說看過，很喜歡。她再問我看過簡盧治為英國工黨黨魁郝爾賓（Jeremy Corbyn）拍的宣傳片沒有。也看過，說這麼硬的宣傳片在香港不可能受歡迎。她接着的話很突然，想了想卻又理所當然：她在英國的日子，就是得郝爾賓前妻助養，對他們全家如何與人絕甘分少一直敬佩。如同看星星時終認出星座，我短時間內認識的她、她整個早上的話、話中的倔強，一下全都貫穿起來了。太驚訝，雖明知是真的，還是說了句："Really?" 她笑笑，便轉身對大家說，智利的不公除見於人間，也見於墳墓。貧者十二人共一小格，不少小孩的死亡年份正是一九七三，因社會動盪而營養不良。富者則是一家族一大座，有些因智利的硝酸鹽（nitrate）發跡，建墳墓也成了競賽，一路除看見一座座微型的羅馬宮殿和天主教堂，竟還有印加宮殿、阿蘭布拉宮（Alhambra）、甚至金字塔！但興衰無常，科學家在上世紀初發現人造硝酸鹽的方法後，這些家族便迅速衰落，且因智利常地震，好些雄偉的墳墓都已坍陷而縱橫散落。

墓園正中是一風格剛健的陵墓，一看，就是阿連德之墓。這也是行程的用意吧，

Valentina着我們坐在墓前空地，說想用二十分鐘說說智利近代史：七三年的九一一政變當天，總統府被轟炸，阿連德本有機會流亡海外，卻選擇不走，在電台發表了最後的演說，鼓勵智利人爭取民主自由後，便葬身府中。及後其支持者被清算、虐待、流放，成為智利的一頁痛史，學校長期不教七三之後的事，連智利的*Lonely Planet*也囑遊客勿跟人亂談政治。但Valentina強調唯一解決辦法，就是“Let them talk”，正視歷史，猶如聖地牙哥以七三政變及其遺禍為主題的「人權博物館」。

我翌日到了這設計極用心的博物館，對「海馬」印象尤其深刻：因當年被囚者都給長期蒙眼，唯有洗澡時能偷望地下，恰巧溝渠蓋上都有一海馬設計，「海馬」自此便成為自由的象徵，反覆出現在塗鴉與書信中。再走至另一處，見牆上圖案是黑白彩虹和一個“NO”字，一認而知就是數年前在電影《向政府說不》（*NO*）中出現過那海報。八八年，皮諾切特為息民怨，辦公投讓民眾決定他能否連任。這個NO，就是反政府陣營的文宣核心。巧合的是這電影的導演正是《流亡詩人聶魯達》那位柏保羅賴尼因（Pablo Larraín），演員貝納（Gael García Bernal）不是皮諾切特的爪牙、追趕聶魯達的警長，而是站在軍政府對面，靠才情和一點創作上的好勝心，不意推動了智利民主運動的廣告人。感謝電影，為我打開了認識世界的一道門，踏出了第一步才有第二第三步，在智利方能看到紛繁世事之間的微妙扣連。

聖地牙哥之後，我一直南行到巴塔哥尼亞的南端，往 Torres de Paine 露營時捱過了人生最寒冷的晚上，再由此地過阿根廷，在布宜諾斯艾利斯遇上了幾位人生橫遭政治改變的朋友，下回再續。

《明報》 二〇一七年九月十七日

南美札記三：在阿根廷，他們真的從頭來過

何君堯議員在「吶喊大會」的一句「殺無赦」，應是一切極權及其附和者的心願，退而求其次，敢忤逆權貴者最好消失、收監、噤聲，務使人民離散相失，才算任務完成。一九七六年，阿根廷軍政府就在「骯髒戰爭」（Dirty War）中令大批反對派人間蒸發。失蹤者的母親希望尋得兒女，組織成「五月廣場母親」（Mothers of the Plaza de Mayo），數十年來一直是阿根廷重要的反抗象徵，電影 *The Official Story* 正道出這些婦女患得患失的悲悽。

「五月廣場母親」本身也有路線分歧，但至今仍每週四定時遊行。我在布宜諾斯艾利斯有天趁機到廣場看看，下午三時許，十多位老婆婆由專車接送而至，下車時受支持者圍着鼓掌歡呼。這些母親大多頭髮花白，領着支持者和其他組織在廣場繞圈叫口號。隊末的遊行者，則是為了因反對徵地而疑被軍人擄走的 Santiago Maldonado 呼冤，之後在城市不同角落，也看見印了 Santiago 頭像的尋人海報。

人世苦難紛繁。在阿根廷使我印象最深的，卻是在旅館遇見的另一堆人。

或因張國榮當年染阿米巴原蟲的舊聞鑽進了心中，一直把布宜諾斯艾利斯想像得更破落。這自然是錯的，布宜諾斯艾利斯是南美最繁華與昂貴的首都。為省錢，一晚誤打誤撞下，往沒景點的Colegiales區一家便宜旅館落腳。按着門牌號碼找，到達時發現門外沒招牌，也無"Hostel"字樣。按門鈴，對牆上的盒子說："Hostel?"盒子回答："Si."甫入門，只見一隻大黑狗橫據了門旁的梳化。店主瞄瞄我樣子，問："Habla español?"這句我聽得懂，能說西班牙文嗎？答：不。他聳聳肩，你好自為之的意思。

廳略昏暗，六七個男子逼在一起看電視上的Tango比賽，有講有笑，似乎互相熟落。十時許，我仍未吃飯，放下行裝，便從背包拿出意粉和剛在街口雜貨舖買的番茄直往廚房煮食。找了找，奇怪，沒共用的油和鹽。出去問看電視的人，兩個比較熱心而英文不大靈光的男子走進廚房，打開自己那格塞滿食物的廚櫃，各放着一大支油和一大袋鹽，示意我可借用。心想，這真是間特別的旅館。隨後發現，我是全旅館唯一遊客，其他人不是來工作就是讀書，九成是男性，而且全部月租，四千四百披索，約二千二百港元，較日租便宜。

飯後回睡房，大燈仍開着，另外五人閒躺床上用電腦或按電話，見我這亞洲遊客都有點驚奇。我問了問，知道他們除一位來自阿根廷北部，其餘四位跟旅館大多數人一樣，都從委內瑞拉逃過來——最熱切跟我這怪房客聊天、英文較好的 Enyilber 用的字的確是“fled”。說起委內瑞拉的局勢，他難掩對上屆總統查維斯（Hugo Chávez）之痛恨，覺得他裝作擁抱社會主義而騙過那麼多人，本屆總統馬杜洛（Nicolás Maduro）施政就更一塌糊塗。然後他提及自己的身世。因家人也算富有，他曾被綁架，父親付了贖金才沒事。他本念建築，但因國內情況不穩，大學數度停頓，用了五年時間才完成了三年課程，誰知大學最後還是倒閉了。阿根廷大學免費，他便隻身前來，真正從頭來過，先打散工做侍應賺生活費，等待四月的大學入學試，重考西班牙文、數學、化學等高中科目，雖不難，但歲月都白費了。他計過畢業最少是三十一歲，然後說：“They robbed my youth.”四個單音節字，嘭嘭嘭嘭，如子彈，射破了幸福的幻影。對自覺要走許多冤枉路的人，我通常會似是而非地說些勉勵的話，如笑說遲些才出來工作不是很幸福嗎之類，但聽見他吐出的這四個字，只能沉默。

然後我們談起香港。他所知不多。今年外遊的感覺，是外面的人對香港的興趣較十餘年前減弱了不少。許多人都跳過香港而直接說“your country”對世界如何如何，要稍稍解釋，他們才知道香港的特殊處境。Enyilber應是記錯了地方，說起一些我沒聽過的香港新聞。談到雨傘運動，他卻對一些照片有印象，說他們在委內瑞拉一樣是佔路示威。他問：「警察會向人開槍嗎？」我說：「沒有。」他之後的單字回應，我雖可理解，但始終覺得怪異：“Nice.”他有次和同伴示威，即遭站在對面的警察開槍，幸好沒射中。時局壞透，通脹瘋狂，去年的升幅不是80%，而是800%，一年八倍，他父親本有退休金，但因這通脹率已不夠糊口，六十多歲又要出來再找工作了，在阿根廷沒可能，唯有留在首都卡拉卡斯（Caracas），順便看守捨不得賤賣的舊屋，只有同樣不想離開的母親陪伴在側。

躺在上格床戴着鴨嘴帽頗陰沉的男子，只靜靜按電腦，原來一直也在聽，此時加插了些注腳：若是遊客，在委內瑞拉未出機場大概已被擄劫，雖然早已沒遊客。這位Edi本念社工，我以為他在電腦跟人聊天，談起才知道原來在找散工。他笑說是女子就好了，餐廳多喜歡請女侍應。旅館沒電腦，他知我那晚需要用，但找過附近那種一格格供人打長途電話和上網的舖頭都已關門，他便說已找完工作，電腦可借我，然後便脫帽準備睡去，只指指衣櫃說，用完放回第二格就是。房中其餘幾位委內瑞拉人，有讀工程的，有讀教育的，全須在這新地方從頭來過。

翌日早上，見幾個人已換好衣服準備上班。旅館不包早餐，Enyilber 說街上的麵包又貴又輕，買了麵粉自己焗，說只用五分一價錢就造得更多也更好。其他人有的仍在睡，有的在打機，無所事事，不少都在等文件、等工作、等運到。都是煎熬。

智利的餐廳已不便宜，我多數自己煮吃。阿根廷的餐廳更昂貴，但番茄意粉吃得多了有點厭，且那晚跟在布宜諾斯艾利斯短住學藝的華欣重聚，進了一家相對划算的阿根廷傳統燒烤店。在阿根廷，牛肉是賣點，但再看看餐牌，豬較牛便宜，便點了豬。她不吃肉，叫了蘑菇奄列。晚飯後回到旅館，眾人又圍着電視哈哈笑。Enyilber 最先走過來，說早上做完麵包，下午去銀行換了幾十美元，全天都在吃麵包。「你吃了甚麼？」他忽問。「奄列。」我說。零點五秒之間選擇了講大話。不想好像大魚大肉，又不想解釋。他點頭，不知根本只隨口問問並不關心答案，還是雞蛋令他想起食材，他接着就說過六條街有家雜貨舖特別便宜，仔細告訴我地點，我點頭，裝作用心記路，其實仍被剛才那點點的驚恐或內疚纏着，甚麼都沒聽進，繼續點頭混過。

晚上再借 Edi 電腦，在維基查「委內瑞拉」希望知道更多，看見右下方有兩個表。上面一個是委內瑞拉近廿年的「謀殺率」，一路隨年份往東北方斜上。下面一個則是「綁架率」，比謀殺率更壞，近幾年的走勢是東北、東北偏北、正北方一般直上。事實是，單有這兩種統計已夠教人心寒。Enyilber 說他早死心，因警察跟犯人根本是同一伙人，且自你踏出家門開始，衣食住行花的所有金錢，都會落到同一伙人身上。阿根廷是昂貴是生活艱難，但最少不用終日提心吊膽或忍氣吞聲，心情簡直如《詩經．碩鼠》的「逝將去女，適彼樂土」，頭也不回只想離開。香港，可又快會步其後塵？

在布宜諾斯艾利斯某早上，得悉可寫信給在囚社運人士，紙筆和文字這些原始的東西、寫信這種小學就懂的事情，在特殊時空下又變得如此珍貴。忽想到獄中一位現實裏未嘗交談、卻有些間接緣分的朋友，坐下便寫起信來，記起背包中有本剛買的二手書，是兩年前過身的烏拉圭作家加萊亞諾（Eduardo Galeano）的 *Voices of Time*，就抄了幾段在信中，包括書的開篇 "Time Tells"，內文只數行：

We are made of time.
We are its feet and its voice.
The feet of time walk in our shoes.
Sooner or later, we all know, the winds of time will erase the tracks.
Passage of nothing, steps of no one? The voices of time tell of the voyage.

加萊亞諾一生因政治受過不少苦頭，走了很遠的路才能回家。他筆下這些 voices of time，當能召喚種種被流放的聲音。阿根廷後，我就是因為加萊亞諾而到了烏拉圭首都蒙特維多（Montevideo），其國、其人、其書都有意思，下回再續。

《明報》二〇一七年九月廿四日

南美札記四：烏拉圭與加萊亞諾

美洲有這樣一個神話：大洪水消退後，烏龜在一惡臭之處，看見禿鷹啄屍體。烏龜跟禿鷹説：「請帶我上天堂吧，我想見上帝。」禿鷹忙着開餐，沒理會烏龜。烏龜難忍臭味，把頭縮回殼中，再度請求：「你有翼啊，請帶我去。」禿鷹不耐煩，把烏龜放到背上，打開黑色大翅膀，一飛沖天。但烏龜抱怨：「你的臭味實在太噁心了。」禿鷹裝作沒聽見，繼續飛。「這腐爛的臭味啊」，烏龜沿途重複埋怨，直至禿鷹失去耐性，忽把身一側，將烏龜丟回地面。上帝從天堂下凡，把粉身碎骨的烏龜黏起來——龜殼上就是這修補的痕跡。

多年前無故買下烏拉圭作家加萊亞諾（Eduardo Galeano）的三冊《火之記憶》（*Memory of Fire*），書只一直放着，早已發黃。大半年前開始讀第一冊，初段加萊亞諾複述了美洲天真樸拙的神話，我才知道上面這個叫〈烏龜〉的故事。讀完第一冊就停下，不是因為寫得差，相反，這真是部優美得無話可説的書，靠一則則短篇拯救美洲被劫走的回憶，由神話寫起，一跳而至十五世紀被殖民的歷史，然後逐年而下，寫到上世紀八十年代，建基於歷史，卻盡是自如的文學想像與引申。直覺沒有書比第二第三冊更適合帶在途上看了，一直留着不看，結果在南美許多個等巴士熬巴士的晚上，才能浮想聯翩，神遊古今。中途讀完了書，更想到加萊亞諾成長之地、烏拉圭首都蒙特維多（Montevideo）一看。

加萊亞諾本身的經歷也傳奇。家族屬烏拉圭沒落貴族，只讀了兩年中學，十四歲出來工作，廿來歲在報館任編輯，曾為他深愛的足球著書。一九七一年他三十一歲，寫下了影響巨大的《拉丁美洲被切開的血管》（*Open Veins of Latin America*），紀錄南美被歐洲殖民和被美國榨乾資源的歷史。兩年後，在智利九一一政變前數月，烏拉圭先有政變，軍政府奪權後監禁了大批左派，加萊亞諾一度入獄，後來被迫流放到阿根廷，但幾年後阿根廷也發生政變，他得避走到更遙遠的西班牙，在那裏寫成三冊《火之記憶》，到八五年、相隔十二載才回到烏拉圭。

《拉丁美洲被切開的血管》我也讀過，嫌寫得硬了些，筆調略重複，下半本只是匆匆翻完。加萊亞諾晚年提及這部成名作，自言那時對政治經濟都無足夠訓練，且謂行文極悶，我覺得都不是謙辭，書沒仔細讀完就更心安理得。《火之記憶》親切多了，每能輕輕幾筆寫出歷史的可笑與殘酷，我對十六世紀西班牙教士巴托洛梅

（Bartolomé de las Casas）的故事印象尤深。歐洲殖民者跟南美土著的關係微妙。土著有的跟西班牙人勾結，無數南美革命領袖結果就是被同伴出賣。歐洲人中，又有同情土著的傳教士，如巴托洛梅。神愛世人，但面前的南美土著也是人，不忍他們成為奴隸被役使，巴托洛梅做了甚麼？是寫信，向帝國陳情和抗議。他有甚麼建議嗎？有，但不是禁止蓄奴，而是從非洲輸入黑奴取代南美奴隸。今日讀者的反應當是覺得荒謬可笑。荒謬字面原指大錯誤，但人受特定歷史時空的限制，一時或不易判別對錯。到他眼見黑奴的慘況，追悔已經太遲，幾百年來一直背負促成黑奴貿易的惡名。

加萊亞諾寫大人物，則常借片言隻語烘托其精神面貌。第二冊有篇故事名為〈拿破崙〉，寫一八〇四年，正在巴黎聖母院登位成為國王的拿破崙。但真正的主角卻不是他，而是人叢中一個才二十歲、伸長了頸怕看不到細節的委內瑞拉貴族，見此盛況，正喃喃自語：「我不過是拿破崙長劍上的一顆鑽石……」這位不甘心的青年，就是後來解放南美的玻利瓦爾（Simón Bolívar）。但英雄見慣亦常人，書中更好看的是寫他晚年被背叛、受唾棄、不得不流亡到歐洲的落寞，有《史記》般的小說代入感，亦有異世同其狼藉的悲慨。

《火之記憶》的眼光不專在政治，各路人物出入其中，幾筆就寫出神采。第三冊寫二十世紀，我最喜歡的就是如鏡象般總前後出現的卓別靈（Charlie Chaplin）和基頓（Buster Keaton）。初出茅廬時，查利老是不小心撞到樹，脱脱帽求樹原諒，惹人發笑；基頓木無表情雖也娛人，但太神秘了，故也憂鬱。至三十年代，加萊亞諾以「勝者」形容飾演流浪漢、在現實生活卻大富大貴的查利，「敗者」形容跟默片一同衰落、不可再在攝影機前即興演出的基頓。但殊途同歸，到五十年代最後一次出現，查利已遭美國懷疑是共產主義者、猶太人、莫斯科間諜而被拒入境，基頓則年近六十已被遺忘，二人在《舞台春秋》（*Limelight*）首度同台合作，講的正是藝人生涯的辛酸、人生如戲的夢幻。加萊亞諾説，二人仍是最好的，都明白沒有東西比笑更嚴肅，是種需要無盡努力的藝術，只要地球一日運轉，令人發笑便一日是最壯麗的事情。

由神話到近代，加萊亞諾欲為美洲的記憶招魂。為何寫美國？因那也屬美洲，《拉丁美洲被切開的血管》早抗議南美人已失去自稱 Americans 的權利，因對世界而言 America 就是 United States，南美總是“sub-America”。《火之記憶》寫美國往事，既是對這偏見自重的反抗，也只是順理成章。有趣的是，阿根廷 *Lonely Planet* 也提醒遊客勿稱呼美國人為“Americanos”，要稱“estadounidenses”（類近“The United Statesmen”）或“norteamericanos”（即北美人）。在阿根廷曾問當地人是否真介意，一女子說至少自己不着緊，笑說那種咖啡不就簡單叫做“caffe americano”，否則落單時麻煩得多。

阿根廷一旅館職員碰巧來自蒙特維多，跟她說我將前往，她有點疑惑，說夏天去倒易理解，因那兒的海灘很好，但冬天？我說因為加萊亞諾。她笑笑，說加萊亞諾有家常流連的咖啡廳，我說我知道，加萊亞諾稱那裏作他的大學，我貪得意會去看看。

從阿根廷乘船到烏拉圭雅致的海邊小城 Colonia，遊人如鯽。再乘巴士到蒙特維多，人少，風大，冷清得多。我最先留意的是他們的硬幣，上有烏拉圭具代表性的動物，一元是跳起後可自動捲成圓球的犰狳，二元是仿佛很懂得享受生活的水豚，設計精美可愛，旋即想起《火之記憶》初段如〈烏龜〉那些動物神話。慢慢知道，烏拉圭這南美小國，除一直以五〇年在世界杯擊敗巴西自豪，也頗以其自由開放為榮：上一任總統以閒散聞名，同性婚姻、吸大麻、墮胎全部合法，且政教分離得徹底，國家日曆上「聖誕」叫「家庭日」，「聖週」則稱「旅遊週」，六成人口是無神論者，我覺得都充滿個性。

有天早上到了書店閒逛，找不到加萊亞諾的書，心生疑惑。問櫃台職員，那男子聽後立即打開他身後書櫃的趟門，盡在其中。我也未及問明書為何不放出來，只見他已一本本把書攤在枱面，我連忙擺手 no no no，說不懂西班牙文，純屬混吉不會買書，他硬要繼續拿。見他樣子好像很高興，便問他最喜歡哪本。他想了想，選了*La Canción de Nosotros*，後來查查，此書並無英譯，名字直譯是《我們的歌》，多是加萊亞諾流亡歐洲時對烏拉圭的回憶。同日午後到了Café Brasilero，清麗親切，牆上掛着舊照片和剪報，都跟當地作家相關，一張是讀者為加萊亞諾畫的黑白卡通，他邊托頭邊寫作。大概因為亞洲遊客不多見，結帳時，店員跟我談了幾句，我說是因為加萊亞諾而來。她指指大門右邊近街靠窗那張枱，說加萊亞諾以前總坐在那裏。

《火之記憶》最後一段題目是〈一封信〉，寫在八六年，加萊亞諾已從西班牙返國。信寫給英國作家Cedric Belfrage，即《火之記憶》及《拉丁美洲被切開的血管》等作的英譯者，說這是最後一冊了，自言寫完三冊，更以生於美洲為榮："In this shit, in this marvel, during the century of the wind." 因年份旁的地方標明是「蒙特維多」，好奇這壓軸一段是否就在Café Brasilero那窗邊寫的。當然不可能問店員。碰巧午後無人，走前為那空枱空櫈拍了張照片，便出奇滿足地離去。

所到南美的幾個國家，都已捱過了政治上最灰暗的日子。反觀香港，統治日益高壓，在這一切事情都那麼迫切的氣氛下，加萊亞諾的書可能是提醒：剛健、批判的一面固然重要，但溫柔、幽默、體察入微的一面也不宜忽略，否則互相影響下，一些人就算有有趣想法，也容易自嫌太廢或不濟當務之急而收起不說，社會只會更偏狹更沉悶，離美好生活就更遙遠了。

《明報》二〇一七年十月一日

碎片幽光

【一】

人常把歷史擬人化，故「歷史會記住這一天」，或「歷史不會忘記」，卻忘記現實裏許多人記性都不怎樣。二〇一七年終回顧，今年讀過最喜歡的書，是烏拉圭作家加萊亞諾（Eduardo Galeano）的《火之記憶》三部曲（*Memory of Fire*）。他像考古學家，從美洲歷史的沙塵中發掘碎片，看出一磚半瓦的幽光，以一則則短篇故事拼出馬賽克，始以神話，繼以近五百年的生活，每則先列年份和地點，後附小題。美洲殖民史沉重，作者寫作的襟抱宏大，但就算一時掌握不來，也會被他說故事的能力吸引，平實時如漫步，卻有舞步般輕輕躍起的瞬間，然後優美地飛翔。

甚麼是歷史氣息？舉書中並排的兩版為例，左邊一版是「一八三九：夏灣拿」，小題為「分類廣告」，只貼出當年一格報紙廣告，沒再引申，讓廣告自己說話。廣告標題是「動物出售」，內有兩小圖，上面黑影看似人形，下面是馬。人形小圖原來是個黑人婦女，文字形容她年青、健康、謙卑、擅煮食、懂洗衫熨衫。下面的馬，則血統優良……加萊亞諾高明地不置一詞，因廣告已足夠説明，前人在時空和意識形態限制下，曾視這分類和販賣為正常，甚至連歧視也説不上，因為賣馬並無問題。夠慘吧，但右邊一版的「一八三九：瓦爾帕萊索」，小題是「燃燈者」，主角是解放南美洲的玻利瓦爾（Simón Bolívar）之恩師洛迪古斯（Simón Rodríguez）。此時成就了大業的玻利瓦爾早在孤絕和流放中病逝，南美諸國陷入混亂，年邁的洛迪古斯，則繼續在家中用新式教學法開導小孩，一起在廚房製造蠟燭，使之感受創造的喜悦，燃點更多希望。歷史裏的黑暗與光明，庸常與超昇，正如這左右並置，互相映襯。

【二】

不期然想起香港的歷史碎片。就算歷史是人，他年紀諒也不輕，可能不幸患有腦退化，容易詳遠略近。這幾天在網上見人談論林子穎的《地厚天高》，説起下月將面臨審訊的梁天琦，才發覺前後不過兩年，自己竟忘了不少事情。如沒記錯，我是在旺角騷亂後才知道梁天琦的名字，回想那段風風火火的日子，我記得甚麼？其一，是蕭若元不知是否受《倚天屠龍記》影響，在網台節目不止一次把他稱作梁天倚，沒拿人名字開玩笑的意思，純因陌生而讀錯，無人糾正他，節目如常出街。別誤會，我無意取笑誰，只覺得這些殘留腦海的無聊枝節，或道出不少人當時對梁天琦突然殺出的茫然。那是二〇一六。

再回帶。有段時間每見人問「你當時守哪裏？」，就聯想起美國電影裏說起舊事的老人，若發現大家二戰同在諾曼第，會生出突如其來的情誼。但慢慢少了人這樣問，仿佛有點不知怎樣處理回憶，就更明白上一代人對遺忘六四的擔憂。六四時年紀小，是九二八那時期，才知道對着電視新聞指罵或流下久違的淚是如何一回事。那畫面自己沒法看見，在應亮的《九月二十八日•晴》，卻站後一步看到了。友人K曾說，當天趕到海富中心附近，沒帶口罩，身旁不認識的年青人可能太緊張而不斷說笑，建議可用衛生巾掩口，正哈哈哈，誰知第一枚催淚彈就跌下來了。友人N則說，那晚跟朋友拿物資走回金鐘，因氣氛緊張而在演藝止步，*Mamma Mia* 居然如常演出，等待開場的觀眾，若無其事地看着身披雨衣、面貼保鮮紙進來避難的群眾。查日記，我在翌日寫下的，竟包括茶餐廳裏兩個阿叔的對話，雲淡風輕。甲：「新聞話，今年十一國慶煙花取消喎。」乙：「挑，尋晚放左啦。」那是二〇一四。

再回帶。三位數，由〇〇〇、〇〇一這樣數下去共一千個，只有少數觸發聯想，〇〇七入子彈，四三〇穿梭機，六三三（或六六三）梁朝偉，九〇一郭家明。歷史的則二二八，五一六，九一一，其餘都在門外徘徊。誰還記得三二三？五年前，元旦無線播放《天與地》大結局，"The city is dying" 一時眾口相傳，港大民意研究計劃在三月舉辦民間投票，誰都知道毫無約束力，就是不服氣。三二三那天《成報》篡改劉鋭紹文章使之挺梁，有報章全版封面做梁振英專訪，研究計劃除被政府抹黑，網站還遭黑客攻擊，不得已改用人手投票，激起那麼多人到票站排隊，網上照片都是繞圈的人龍。我三二四才去城大票站，深夜知道過半選票不是投梁振英、唐英年或何俊仁，而是白票，超過十二萬張。那應是香港歷史上，最貼近薩拉馬戈（Jose Saramago）小説《看見》的一天。故事説，某城市一次大選前夕，看似風平浪靜，投票日卻有七成人投了白票。政府見事態嚴重，宣佈八日後重新投票，期間監視市內情況，仍無異樣。

結果第二次投票白票更多……現實不是小說，三二一五的星期天梁振英「當選」，自此三二三漸遭遺忘，歷史沒有記住這一天，我不是上網查證也說不出。進入歷史的是六八九，這隨機的數字還慢慢建立出面目，有他才有九二八，才有七七七。同年六月落台退休的曾蔭權幸免於此，怎料到自己得到的卻是囚犯編號，還會跟葉繼歡在羈留病房一牆相隔？那是二〇一二。

【三】

城市回憶人人有，無聊的認真的，都是現實，有幾多能流傳下去，使後來的人明白這幾年活在香港的感覺？時代精神似乎是淪陷、抑鬱、疲倦，但同時又有許多人在各自崗位做基進的研究、做往往徒勞無功的新聞採訪、做良心教育、做各富關懷或幽默感的藝術、做不同範疇的知識推廣，或敏感自覺地生活，待人以誠，抵抗麻木和非理性的誘惑，發放點點幽光。

政權不會放過歷史，要不吊起來嚴刑逼供，記得的都要說忘記，或屈打成招，袁木好誠實，李鵬是最偉大的領袖，要不使人對他徹底失去興趣。忘了舊路，往後亦失方向，人便如《凶心人》（*Memento*）那位失憶主角，只被當下最顯眼的提示牽着走，惶惶然。加萊亞諾在《火之記憶》前言説，小時歷史學得糟糕，長大後雖不是歷史學家，卻希望恢復美洲歷史的氣息、自由和言詞，跟她傾談，分享秘密，聽她説如何從愛與強暴中走過來。香港歷史的下場，就靠我們了。

《明報》　二〇一七年十二月三十一日

貓與糖果——憶黃愛玲

週四早上得悉黃愛玲女士過身的消息，心中惘然。人如其文，愛玲優雅溫厚，但如要用一個詞語形容她，我會用可愛。她的《戲緣》一首一尾都富深意，以伊力盧馬的影評開始，形容盧馬電影看來不夠前衛，過了好些時日卻仍然年輕。這本身就是愛玲文章予人的感覺，沒時髦術語，看來閒話家常，近於隨筆，一轉彎卻是警世的提醒：「而我們，我們習慣了銷金窩裏的舒適溫暖，大概很難明白有時候匱乏也可以是豐盛的。我們放假就往商場裏擠，在熙來攘往的人潮裏尋覓安全感。在資訊發達的年代我們以為知識文化就是這麼一回事，不需要的時候寄存在電腦裏……」《戲緣》以愛玲對家人的感謝收結：「是你們讓我看到了人間情愛的複雜與力量。我心醉魂迷的電影大多與此分離不了。我愛你們。」

愛玲在文章和訪問都曾提到，二哥中二那年跳樓自殺，從此沒人再提起他，連他的照片都藏了起來，對她影響深遠。電影成了出路，留學法國讀電影時找到她的紅氣球，卻沒跟着氣球飛天遠去，文化和生活的根太深了，一手寫法國新浪潮，另一手回首三十年代中國電影的畫面，阮玲玉、費穆、朱石麟常在左右。談盧馬的《女侯爵》和高克多《美女與野獸》，都出奇地由《牡丹亭》入手，在歐洲電影裏，看到中國古典藝術的感性，悶無端，或夢與情深的可貴。不是「兩腳踏東西文化」般堂皇，只是默默的浸淫醞釀，再在文字流露：「看盧馬的電影，若飲醇醪，不覺自醉，那裏面有時間不留痕跡的芬芳。」她看塔可夫斯基《鏡子》母親洗頭那經典一幕，也在記憶裏搜尋逝去親人的影子：「而哥哥卻拒絕回來，他連我的夢境也沒有踏過進來。」愛玲喜歡的《牡丹亭》和《紅樓夢》是夢，自言看電影是做夢，也特別鍾情如夢如幻的電影，若《幻之光》，若《戲夢人生》，《戲緣》後的結集叫《夢餘説夢》，恰如其分。

但哪裏可愛？且看她如何在《戲緣》説，成書多得旁人催迫，否則「我是會和家中貓貓一樣，伸伸懶腰，換個姿勢，又重投睡鄉的」。她在文章中偶然也提到自己的懶，我最喜愛她將這特質跟盧馬扣連，寫《女收藏家》時，便謂盧馬戲中人物之美，除在臉容，也在風度，難怪常常游手好閒：「大概只有在這種無所事事的被動狀態下，人才會有空閒去感覺美之種種」。仿佛在説《世説新語》的名士，痛飲酒，熟讀《離騷》，最重要還是常得無事。是為好食懶飛説項嗎？她説：「倒也是，懶人特別愛看盧馬的電影。」理直氣壯，很像盧馬電影中的女子。至於她家中的貓，確有貓之為貓的慵懶，記得初次見面就是給擱着腋窩出來應客，一臉無奈。跟愛玲和雷競璇先生兩前輩相識不過數年，因兩次飯敘都給厚待，印象很深。

五年前的萬聖節。西貢車多，雷生還在找地方泊車，愛玲先把我帶到她喜歡的餐廳，說有法國小餐館格局。店內只三四張桌，已滿座，我們便坐到店外。"Café Bonbon de Paris"，她用法文在電話告訴雷生，那幾個聲節動聽，且她笑笑解釋bonbon是糖果，便一直記住了名字。後來他們談到往昔在法國的生活，現實不如電影浪漫，初期租屋就很狼狽，要跟看不起亞洲人的人打官司，後來重讀她文章見她曾提到那業主，「我想，他是一定不會去看高達的《中國女孩》的那一類法國人」，會心微笑。吃飯時，果然有小孩提着塑膠南瓜問人拿糖果，是怎樣打發小孩的呢？是愛玲到旁邊的便利店買糖果嗎？都忘了。只記得在街頭過了一個甜美的晚上，管他巴黎不巴黎。

三年前某黃昏。她家門外有牛在散步，待了一會，聽到裏頭有貓叫。一開門，愛玲已捧着請請般拱着手垂直身子的貓來接門，剛才應是特意捉貓讓牠結識新朋友。當然失敗。貓一給放下，喵，就飛奔暗角去。談起讀書寫作，雷生說最忌泛泛而論，曾見人在文章亂用外語，不以為然，愛玲即補一句：「錯咗仲要唔認。」這微微的忿懣在她文章其實是有的，如她批評深作欣二在《大逃殺》把電影當成電腦遊戲的淺薄，或密譚（Julio Medem）電影的花俏矯飾，只是不常見，寧願把心神放在好東西。但她這為學為文的態度，也是一直的自我要求吧，正如盧馬的電影，看似隨意，想想就知絕不可能，適合的季節過了會等待一年才拍，甘心讓自己緩慢些，落後些。那時在讀張愛玲的《異鄉記》，飯間問愛玲讀過沒有，她不肯定。我說那時張愛玲到了溫州找胡蘭成，她忽說：「我就係溫州人。」書她讀過，便談起溫州記憶，像桃花源。愛玲也喜歡沈從文，雷生亦愛其溫厚，難怪牆上掛着沈從文的一幅立軸。我讀沈從文感受倒不大，他倆懷疑我沒有在鄉下生活的經歷，故少了共鳴。但正因二人在燈下閒話這畫面，我翌日放工即去找書，終在「學津」找到《從文散文選》，翻了翻，在「劫後餘稿」最後一篇，見日期下寫着「這故事想已無希望完成」，有那代人時不與我的黯然。後來重讀《戲緣》見愛玲說：「一次侯孝賢訪港，我問他何以不拍沈從文的作品，他說，已找不到沈從文筆下的那些面孔了。」都是一去不返的時代，而愛玲對那舊中國的人物和文藝，總是一往情深，為中國電影研究編過許多著作，對費穆和唐書璇等前輩尤其敬重。誰知過了幾天，愛玲還補了一個電郵：「飯敘的那個晚上，你問看過張愛玲的《異鄉記》嗎？我腦子裏空洞洞的，沒有沒有。但一說起溫州之旅，一切就都回來了，張愛玲所說的『冷門』，其實都來自尋常百姓人家的柴米油鹽，一放下就輕易拋到九霄雲外，但經過她那『大驚小怪』的獨特視角和處理，那股氣味卻會永遠黏在皮膚上。」連電郵也寫得那麼好，敏感細心，幾句就點出另一個愛玲的好處。

一直想跟愛玲做訪問談她的電影路，沒緣由好像太唐突，總想待她再出書之類，便可找個理由。但世界有時是沒理由的。她在〈人生裏的方糖〉談郭利斯馬基的《流雲》，故事調子灰沉，只在末尾留下有一絲光彩，引錢鍾書謂「快樂在人生裏好比引誘孩子吃藥的方糖」。她最後說：「大抵電影裏的 happy ending 就是那塊方糖」。去年路經西貢，發現 Café Bonbon de Paris 已結業。我始終難忘愛玲抱貓而出的樣子，懷念她口中的 bonbon。

原載「自主映室」網頁　二〇一八年一月六日

從錦田到紫禁城——訪趙廣超

趙廣超先生正式的身份，除了「設計及文化研究工作室」總監，還有「故宮出版社故宮文化研發小組」總監和「中國美術學院中國文化設計研究所」副所長等，多年來專注研究中國傳統文化，轉化中每見情趣，著作包括《筆紙中國畫》、《不只中國木建築》、《筆記〈清明上河圖〉》。

但對我來說，他卻是香港很被忽視的作家：眼光之獨到，文字之敏銳，總使我覺得他是詩人。早前到了他的工作室跟他談天，更覺他表達的出其不意，有時乍聽不明白，幾句後才有燈亮的喜悅。他新出版了《紫禁城 100》，但相對此書，我更想多聽他談自己的過去，由錦田的匱乏童年，談到法國留學的經歷，到今日全心研究中國文化，前因後果之間，常有微妙關連，信手拈來，都是富深意的故事，還引申到他看藝術和世界的方法。

趙：趙廣超

郭：郭梓祺

廿一世紀的最大冤案是器物

郭：你常研究中國器物，可說說你對器物大體的看法嗎？

趙：中國人以前愛講「君子役物，小人役於物」。從前說「器」字，不過用隻狗守住，現在卻是君子小人一齊站在入面，都不知怎樣分。但我想廿一世紀，人類最大的冤案就是器物。人人說物質蠶食心靈，但其實是你自己 cheap，卻推諉一樣沒主動性的東西。無法控制的不是物質，而是我們。

郭：哈哈。請再說。

趙：我所理解的「手工藝」，就是一對手，手工，和手工藝。天生一對手，用心做任何事，都有一份悠然自得的內涵。我捧茶給自己和給你，動作可能一樣，心態卻不同。所以你看這個杯，就算是機器造，都保留了手的規律。

現在卻有奇異的分割：這是拿筆的手，那是割禾的手。拿筆的人，好像非要去割禾，非要令自己雙手爛掉才叫尊重。我們很容易就掉進這陷阱。好像我不如此，我即墮落。但墮甚麼落？不過是用手造出來的機器，代替我們去造那物件。如說機器是禍害，手不就是元兇？善緣孽緣，都是你自己造的。不過你看，我們還是欣賞音樂盒的，那是機械，卻又可表現美妙的樂章。所以當回到根本問題：演變，是我們追求身心上的和諧與幸福。我們其實有能力在任何的人工產品裏，找回那小小的愉悅——而不是娛樂性。

可舉 Photoshop 為例。我最初學用時，覺得總跟平時畫畫差很遠，他多麼頑固。然後某日就想，要工具從屬於我的意志，是霸道的，這也是人和人工的關係。如 Photoshop 的「錯」才是常理，他應該有自己的法則，那便要將這意想不到的效果，當作他的應有狀態，於是就決定要跟他「錯」出合作。這樣一來，已不是錯了。我用任何東西，也不堅持自己，你反要先知道他是怎樣的，這就是"In search of you I find myself"。

郭：現時傾向的確是回到雙手，因好像失落了太久。

趙：那還麻煩，搞死那些捱了一生、累積了一世的工匠。第一，你做時容易走精面。第二，可能是美學的墮落。第三，很容易便將那短暫的過程，等同那工匠一生在社會、在家庭做此事之含意，可能他要養兒育女，都是自然的事，裏頭又不知受過幾多創傷。台上台下都分不清，才是墮落。

錦田的一部收音機

郭：不如說說你的過去。你小時候是怎樣的？

趙：小時候只知跟同學、老師和家人都有距離，常發呆，但喜歡看書。學校在錦田那些鄉村地方，圖書館不濟，故不時是在路口等圖書車，人生第一個虛榮就在此建立。那時才二年班，卻總是借厚厚的書，使一起排隊的高年級生側目。那或是我此生最憤發的時期，地下有字也會蹲下看。那些書和文字告訴你，世界不是這樣的，不是你在走的那條路。

郭：記得看過些甚麼書嗎？

趙：印象深刻的包括《白蛇傳》。那時年紀小，連兩性也不懂分，卻覺得許仙負了白蛇，總之很憎他，卻未知道妖精的可怕。從小到大啟發我的，都是一些objects，收音機也一樣。

郭：是怎樣的？

趙：錦田有山包圍，世界盡頭就是山，望不透的只有天。直至有一天，突然來了個收音機，那當然是高科技。那時是聖誕，一打開，有留學生錄了音和香港家人拜年，在電台播放。有人說他在滿地可，正落雪。我一聽，哪裏來的？他所有東西都跟我不一樣，說的卻是廣東話。為何世界有那個地方，還會落雪，聽了簡直令人神往。可能那時就埋下一粒要放逐自己的種子，後來才明白，收音機這 receiver，真正的功能卻是 projection。他也將我射向了這世界，後來我發現生命的飛躍，想像力的發揮，都是來自人工的產品。

這很吊詭。因真正的啟發其實來自大自然。但大自然實在太高了，你在其中只可以承受，介乎中間的人工物，反而成了踏腳石。他不完美，你看不到那個在滿地可的人；到看到時，也觸不到。他總有缺憾，所以你想像的補足就更劇烈。這引導我長大後就四處走，但最後竟又回到錦田。那時阿媽移民，便將家變做書房，人大了難免有些物慾，最厲害時便有六部電腦。

六部電腦與小小盆栽

郭：嘩，六部。

趙：是，我畫畫時，最多有十二個畫架，好像指揮家一樣，覺得有自己的王國。對着電腦，希望將想法表達出來。然後有一日，心裏不舒服，無甚意識下，便找了一個小小的盆栽，放在電腦旁。當下便好像解決了一個問題，繼續做事去。

前後兩情境交疊，我發現：小時的現實，成了我大時的裝飾；大時的現實，是小時的裝飾。小時候，高科技是現實的奇異補足。長大了，科技卻變大，成為一部部電腦，卻乾澀，然後整個錦田，又濃縮成一個盆栽，給放在旁邊。我覺得生命可能就是這平衡的搖擺，從這裏頭辯證你要堅持的究竟是甚麼。你執於一者都會死，最少是無奈。日常生活，有時就是少了這自發的平衡，每次我最困厄，就會想這平衡。

郭：有趣。

趙：所以繞了一個圈，又回到錦田。我以前意氣風發時寫過一句：你站在任何一地方大力踏，地球都會震。平時總以為要到某個地方才有意思，正如我們現在，便是用 passport 證明我們對真理的搜索。但不都在地球?你看曹雪芹寫《紅樓夢》那間屋，多簡陋。

錦田阿婆的故事

郭：那你甚麼時候，知道要做文化藝術的事業？

趙：有段時間，我在想自己能否寫東西呢，結果被這概念愚弄了。我覺得有需要你就寫，沒必要證明自己。但我肯定自己不是畫家，原因很簡單，畫家不畫畫會死，我卻可以不畫。我小時候很喜歡畫畫，出去玩完回家便畫，畫到睡着，明朝起來，最美的就是隻手，因為闒筆闒不好，整隻手都花了，比那張畫還美。但這本質是藝術，通過筆和色塊，令你思考，為何甘願將那麼多寶貴精力和資源，放在實際世界裏未必需要的東西。他沒道理的，但最後你可能找到自己，有時很奇異，正如我那個每逢打風就會想起的阿婆。

郭：又是怎樣的？

趙：在錦田時她一個人住山上，每次八號風球，我就想起她：阿婆今次一定餓死。我踏車過去要一小時。三號風球不會想到她，要八號才想起，真慘。但一想起她，就沒法平靜，無論怎樣形容，例如同情，或憐憫，都不足表達那心態——有一樣東西你可做到，你非做不可。於是到最後，還是拿了些火水和米，開始這八號風球之旅。踏車過去，中途已沒有路，要推車，其中一兩次還有雷在旁邊劈下來。

郭：好像很驚險。

趙：小時候不懂事，否則可能會想，算了阿婆你死就死。但那是天地之威。縱然這樣，你還是做到的，回家那晚就可睡着了。這事到後來在法國讀書，見浪漫主義那些很大的畫，便覺得真是兩個不同的世界。如希臘神話裏的一個戰士，衝去蠻荒，對大上的神靈咆哮那些壯麗的場面，於我卻是虛假的。因那只展示他與天地鬥爭的力量，都是一種 ego。真正的浪漫精神，不是要挑戰大自然，而是大自然烘托一個人內在的道德。那道德不是週末買旗那種，而是人與人之間不可解開的糾結情感，那才令人有勇氣面對大自然。我覺得西方藝術，都重在成就一個人內在的力量，但阿婆的故事，卻是我人生的契機，她告訴我唯有關懷生命才是出路。

飄了二十年才來到的葉

郭：你在法國總共待了多久？

趙：七年。但他們不用我上課，我只是自己看東西和研究。當時令我最開心的，是引了些法國仔法國妹，跟我在那些樹很高的散步場聊天，我跟他們說，在中國，如攤開手，有樹葉掉下來，你的希望便得實現。當年他們就真在那散步場攤開手四處走，畫面很好看，卻捉不到樹葉。

前幾年再回去了一次，十年人事幾番新，那些人全都不知到哪裏去了。我坐下打開筆記，寫當日的感覺，有一塊葉就掉在筆記上，嚇到我呢！我立即寫：「飄了二十年才來到的葉。」頭尾就是二十年。那塊葉，後來就在《筆紙中國畫》裏出現，我用電腦掃描了那葉放下去，也沒跟人說。我覺得生命有這些玄妙的事，好像跟你對答，那時候的願望，便是我今天在做的事情。這些都令我覺得生活不至太單調。

郭：那你對香港有甚麼看法？

趙：以前有新儒學那些大師，會覺得香港是新中國，可在哲學和文化上有所開拓，另一面則因跟世界文化接軌，較自覺要去尋求我們在這世界的地位。我想現在是最困迫的。原來香港最引以自豪的，就是訓練了一批服務性的精英，但我們沒培養這班精英能有清晰的視野。現在談本土文化的方法也使我驚詫。以前台灣就因此吃了許多苦，現在香港有後來居上之勢，因為寫的是日記，而不是傳記，心態上就很值得擔心。

前幾天，我晚上坐飛機到北京，文思湧現，寫下這幾句：我由昨天起飛到今天，我們從未試過飛到這麼高，又從未試過如此低俗。於是心裏便對住機艙吶喊問，大師，你究竟在哪個位坐着？這種抽離可使你頓悟，因你望下去，就是莽莽崑崙，多不真實啊。想起我有天自己刨頭髮，拿了張紙墊住，頭髮掉下去，看一看，咦，不就是中國大地？

郭：有點莊子故事的意味。

趙：我覺得這世界，只有中國文化和哲學，可使人安頓：原來我們可以有自己的天堂。所以那些中國繪畫理論，我都視之為建築樂園的守則，是 handbook to the paradise，不過這樂園要在你的心中開始。有時也難怪，只有在最繁囂的都市生活的人，才最樂意在牆上掛一幅「孤舟蓑笠翁，獨釣寒江雪」的畫，然後開雪櫃拿支可樂來飲，生命力可能就在這種平衡上。

生活的分拆與鑒賞

郭：有時想，現在講中國傳統文化，不知應盡量講得接近現代生活，令人更易走進去，抑或應盡量反常識，使人質疑自己的生活，例如古人沖茶飲茶弄很久，我們卻總渴望即時。

趙：問題是你很快飲完，多出的時間會做甚麼？是為了飲第二杯？然後你發覺，古人飲茶那麼慢，是為了過癮，為了 relax。我們現在卻是分拆出去：relax 嗎？就去 spa，並且好緊張地去。我們做《紫禁城 100》時，知道皇帝就是這樣。除了走路沒有一間房，他甚麼活動都有間房：談天一間房，呆望一間房，正月初一一間房，吃飯、看書各一間房，所有行為都拆成一間間房，並以示範的方式來告訴人。所以我們說皇帝不是人，生活每個行為都給象徵化，價值沒失去，卻沒有組合。

現代人不就是這樣？想拍拖，就去看新的 James Bond；想聞聞草味，星期日就去郊野公園，這分拆，也可叫做剝落，容易成為碎片。古人好像不用那麼人工地找出價值，比較信手拈來。我們容易忘記在人為造作裏，原初也有奇妙的自然內涵。我們平時對自然的渴求，其實何其強烈，你剪完頭髮，也想髮型看起來「自然」些。所以自然並沒有走，一切人工，可能都為捍衛那一點自然。

郭：這些對你現時的研究，有甚麼提示嗎？

趙：有兩點。一，是對「真實」的看法，我們有時放了太多講法上去，反而不真實，如剛才說的自然，其實很簡單，就算你去整容，你追求的仍是自然。二，是鑒賞，唯有鑒賞才能成就一個自由和獨立的價值觀，一沒信心，便很被動。飲可樂或咖啡，都可令你的人生更幸福，那茶在其中，又算得甚麼呢？現在我們連水也不承認是水，礦泉水才算水。有那麼多的選擇，但我們迷失。其實飲水也可從中得到飲水之道。傳統裏這些意義一被向上提，我們便覺得他特殊。我想用簡單方式來提醒，人在生活偶遇的東西，樣樣都有此能力，我們的生活本就充滿意義。

《明報》 二〇一五年十二月七日

前生自是中國人——訪閔福德

翻譯者常常隱身於作品背後，名字容易給人忘記，身世就更鮮為人知。閔福德（John Minford）是英國漢學家和翻譯家，七十年代曾跟其師霍克思（David Hawkes）一起翻譯《紅樓夢》，之後翻譯的中國古典文學有《聊齋誌異》和《孫子兵法》等，香港文學則包括西西、也斯和劉以鬯的作品。他近日來港，於恒生管理學院做了一系列講座，解釋理雅各（James Legge）、翟理斯（Herbert Giles）、偉利（Arthur Waley）和霍克思幾位翻譯先行者的傳承關係，特別喜歡從各人的師友交遊等軼事，顯見其性格和志趣。

有緣跟閔福德談天，前段聽他說最初接觸中文和《紅樓夢》的淵源，很離奇；後段他多講兩年前出版的英譯《易經》，一譯十二年，無法不想起他在講座屢次引用的對答——有人問米高安哲羅，天才是甚麼，他回答：永恒的耐性（eternal patience）。

訪談時說的是英文，個別字詞則轉用普通話。為便傳神，下面有數處保留了英文原句。

閔：閔福德
郭：郭梓祺

中文選擇了我

郭：記得你曾說「不是我選擇了中文，是中文選擇了我」。可說說嗎？

閔：那會扯到我的前世，你真想聽？

郭：請講。

閔：中學時我取得獎學金，到牛津讀古典，那是一九六四年。去到卻發現，我不想再讀了，因自九歲就要學希臘文和拉丁文，想試試新東西。我真正想讀的是音樂，入大學前曾在維也納學鋼琴，很用功，但父母覺得我應先取得學位，再做音樂家不遲。沒法子，結果便悶在牛津，試了很多其他學科，如英國文學和歷史等，最後選了「哲學政治經濟」這科，興趣卻不大，讀的兩年走了所有堂，去導戲，期間做過兩個大型演出。但後來覺得這樣讀書只在浪費時間，還剩兩年，要改變的話是最後機會了，便問自己，在這世界，真感興趣的是甚麼？

身為六十年代典型的年青嬉皮士，我跟自己說，最愛的是「樹木」。那時我們都愛四處閒蕩，見樹就抱。於是便想到讀樹林業，將來可當樹木專家。那時沒互聯網，找了本選科手冊，一看卻發現，樹林業要求在高考先修讀了物理、化學和園林學。沒理由離開大家再讀兩年高中，一時下不了決定，清楚記得那天坐了在飽蠹樓（Bodleian Library）外的矮牆，拿着那厚厚的選科手冊，閉上眼，隨意翻，一指，便是中國研究學院。第二日我就到了那系，問可否讀中文，作了很多原因，例如那是我畢生宿願等，但我對中文當然是一無所知。他們說，好，但你只有兩年，要努力直追。我答應了。

有趣的是在此約七年後，我到了倫敦找一位很有名的通靈者。他說，我是一個十八世紀中國人的轉世者，正跟另一個同是十八世紀中國轉世者，合寫一本重要的書，而我將變成這題目的權威。你知道嗎，我那時就跟霍克思譯《紅樓夢》。哈，他說的轉世，可能便是曹雪芹和高鶚。那就更使我相信是中文選擇了我，像翻《易經》，不知是潛意識還是命運。轉眼五十年，學習中文，翻譯中文，我沒為此後悔過。

只認得「紅」，不懂「樓夢」

郭：你是哪年來港？

閔：一九六六。第一學期，他們就叫我去中國學中文，但因文化大革命，去不到，便來香港。那時有一戶有錢人家請了我當家庭教師，教小孩英文、法文和音樂，還給了我房間一起住。數月後，那位仁慈的母親跟我說，你如想認識中國和中國人，有本書必須讀，她寫下：「紅樓夢」。我那時只認得「紅」字，「樓夢」還未懂，但抄了下來，回到牛津時，跟教授說我想讀這本書。他們都勸阻，說那是本危險的書，會改變你人生，會上癮。但我堅持，他們只好說，那你等霍克思教授休假回來吧。到他回來，我去敲門說想讀《紅樓夢》，他雙眼發亮，說我是第一個說想讀此書的人。我是班上唯一學生，一起讀了頭十回。

郭：頭五回已很不容易。

閔：第一和第五回很難，但我們讀得快樂。我六八年畢業，去了結婚，七〇年回去，開始一起翻譯《紅樓夢》，之後一直反覆重讀。

郭：到現在仍然如此？

閔：對，最近才為企鵝出版社寫了本《紅樓夢》導讀。幾年前有個博士學生，她說也喜歡《紅樓夢》，正要解釋原因，我還想可能是些詮釋學或符號學的東西，她卻說，因為這書使人冬暖夏涼。說得多好，我幾乎可為此寫一本書，《紅樓夢》對人生有種寬容的態度，曹雪芹真有一顆很大的心。

香港與六四

郭：《紅樓夢》之後，你翻譯了些中國和香港當代文學對嗎？

閔：八二年，我到了中文大學，認識宋淇，一起工作。八十年代初中國政治稍為寬鬆，年青藝術家多了點自由，那時便在我們編輯的《譯叢》，翻譯和出版北島和顧城等人的詩集。但後來政局有點變化，我八六年也離港到紐西蘭教書，之後當然是八九年的「六四」，對我是個恐怖的打擊，我有很多中國朋友和學生，看着他們，經歷真慘痛。至今，我如六四當日在港，也必會到維園的燭光晚會悼念，因香港是唯一可這樣紀念的地方。

八九後，我認真決定不再翻譯中國當代文學，那悲慘境況我已承受不了，於是一心鑽進古典，開始翻譯《聊齋誌異》，從那時起便把自己留在往昔，翻譯《孫子兵法》和《易經》，最近則是《道德經》，可說是背棄當下。你看，他們現在還不承認過錯，只裝作沒事發生，真是很大的大話，跟喬治奧威爾說的相類。

郭：香港的情況也很壞。

閔：我知道。我不是政治人物，但我是公民黨最早的一批成員，那是我在港唯一的政治參與。我跟吳靄儀等是朋友，他們是多好的人，要對抗的力量卻多黑暗，實在難有勝算。但香港始終是個獨特的地方，我現在如翻譯當代文學，都多選香港作家，例如也斯。

郭：我見你的《易經》譯本，有一些注解會引申到也斯的作品。

閔：我覺得他真是中國詩人的繼承者，常使我想起白居易，輕盈而富哲思，擅於紀錄生活中簡單的樂趣。西西也很好，我曾參與她第一本英譯，那是《像我這樣的一個女子》，她是世界級的作家，也正因她身處香港才可這樣，沒捲進政治壓力中。幾年前得到香港藝發局資助，我便在翻譯也斯的詩、西西的故事和劉以鬯的《酒徒》。但翻譯如釀酒，需要時間，不斷修改，急不來。我要確保譯好了才給出版社，我想英美讀者真可欣賞到這些作品，不想書只滯留在香港的書店。這也是我學習也斯之處，他多麼致力於推動香港文學。

道家想法的啟示

郭：你剛才說會翻譯《道德經》，我想起了劉殿爵教授那出色的譯本。是你很喜歡《道德經》故想翻譯，抑或跟你嫌Wilhelm的《易經》太西化一樣，對先前的《道德經》譯本不滿而想改進？

閔：這是出版社找我的。方法會跟我譯《易經》一樣，主要參考中文注本，不用容格或海德格那些。《道德經》我主要參考《河上公注》和我譯《易經》時常常借用那位劉一明，清代全真教信徒。

郭：之前也從沒聽過劉一明。

閔：他不出名，卻精彩，像直接跟你說話。他練內丹，內丹有點像西方的鍊金術，容格便覺得那轉化是自我發展與實現的隱喻。翻譯《易經》時常常參考劉一明，因他總能向你指出一個路向，其基本想法是我們要將「人心」轉化成「道心」。這是有力的信息，不論在日常生活、人際關係、公共事務全是如此，需時刻意識到要與道合一，不困於個人的慾望、野心、恐懼等。我是個普通人，有很多缺點，道家的許多想法對我生活都有幫助，給我一種可倚靠的力量，如要像水和守柔，或後退等，因前進只是幻象。

這也使我聯想到我對音樂之愛。你先要清空自己，才能明白音樂，要打開你的耳和心，才有真正感受。翻譯亦類近，先要聽，讓原文的音樂流進，才能說，去轉化那聲音。我嘗試向原文的字詞投降，全然接受，不再是「我」，或者「你」，而是使你我融合為一，如同戀愛。

郭：使我想起"In search of you I find myself"一語。

閔：很對，我翻譯時也不斷在別處找到自己，我的一部分成了蒲松齡，一部分成了曹雪芹，這也是我喜歡翻譯之處，他使你有變化。

郭：翻譯這些如此不同的書，你有何感覺？

閔：哈，你可以有很不同的朋友，有些較胖較吵打網球，有些較瘦較靜拉提琴，我享受那多彩多姿。《易經》比較獨特，像認識了一個神秘難測的朋友吧。

郭：《周易》我覺得很難，勉強看得明的注本，只有李零的《死生有命富貴在天》。

閔：我欣賞李零，翻譯《孫子兵法》時常參考其研究，他寫《道德經》那本我也有看，雖然想法未必相同。

《周易》「漸」卦

郭：你說翻譯《易經》用了十二年，中間遇過甚麼困難嗎？

閔：頭幾年都在找不同版本，探究注解，讀歷史和甲骨文資料等，試圖明白此書的根源。到了某階段，覺得始終要跳進去開始翻譯，初時專注於尋找適切的聲音，因此書沒作者，便想怎樣才好呢？試完又修改，來回往復，改了二十七版。我已過身的太太過往是我書的編輯，她看不懂中文，但英文比我好，她讀我的草稿，批評後我便再改。中途也有阻滯，二〇一一年來港時，對譯本不滿意，覺得要多走一步，便找了些朋友來，用譯本為他們占卦，如果不成功，讀後只使人覺得冰冷，便代表我沒做對。如是者試了多遍，不斷探索更深層的啟示，歷時兩年，感覺很像通靈。我從來只譯過書，沒譯過「神」，《易經》連讀法也如此不同，每次幫人讀完卦都徹底疲累，好像讓神靈進入了身體說話，然後慢慢發現此書實有一把貫徹的聲音，這是翻譯的另一面向，於我也很新鮮。幸好一三年出版社催我出版，才停止了這漫長的修改過程，交了定稿。一四年我便中風，住院六個月，太太也在大病後離世。

那時我也會用《易經》占卦問翻譯《易經》此事。最常得到的回應是「漸」卦，要慢慢來。我覺得不止翻譯，做人也是這樣，我是現在到了七十歲，才漸漸自覺從心所欲，說對的話，做對的事，也慶幸仍可做自己喜歡的事，例如翻譯。

郭：真好。翻譯中國文學一直吸引你的地方在哪？

閔：翻譯中國文學作品，覺得他們雖然如此獨特，卻如理雅各說的，可接觸那"universal Chinese mind"，所以我很喜歡「人同此心，心同此理」那句話。人的外表可能不同，但基本的慾望、熱情、恐懼、志向往往相近，都想自己好一點，想超脱，接觸到更大的東西，譬如是「大我」而非「小我」，就如剛才說的「道心」與「人心」。

例如我譯一首宋詞，起初可能覺得他很異樣，關於一個歌女，或其實是一個男人代入歌女的語氣，在高樓上遙望，思念剛離去的情人，背景或許是杭州，全都如此「中國」。但慢慢翻譯下去，便發覺那也可在倫敦或巴黎發生，因為潛藏的主題就是人的處境，是寂寞、是愛、是違棄、是覺得人生如夢的感覺，這就不止限於某人，而是人類的事情。《聊齋》也是這樣，那些狐狸精和鬼怪如何奇特，但最終講的仍是人。翻譯家的工作就是要把這發掘出來，每次譯完不同作品，我也覺得自己的人生更豐富，因他們已進入了我的經驗。向這樣陌生的東西敞開心靈可能危險，卻有很大得着，就像跟一堆奇人異士做朋友，還使他們變成自己的一部分，結果不斷在別的書、別的語文裏去探索自我，雖教人疲累不已，卻也很刺激，正正如你剛才提到的"In search of you I find myself"。

《明報》二〇一六年三月二十日

笑與哭——訪關子尹

有幸曾旁聽關子尹先生三門哲學課，受益良多。他在中文大學哲學系教學三十年，專攻康德及海德格等德國哲學家，因常常負責哲學概論及西方哲學史等課，不少外系同學最初接觸哲學，可能也與他有關。他今年退休了，早前的榮休講座「十年磨一劍」一貫謹嚴，把人生劃分做六個十年，一一評論。當年兒子因癌去世之事他沒多提，只以典故「西河之痛」幾句帶過；重點則放在最近十年，磨成的一劍，便是用許多精神研發的「漢語多功能字庫」，為的是展示中國文化的厚實，古為今用。

訪談前，關生不止一次提到自己不擅辭令，沒急才。結果他談到的內容卻出奇豐富，有時歡笑，有時哽咽，使我想起他在課上曾論笑與哭的哲學意味，宜乎訪談以對飲他喜愛的威士忌作結。

關：關子尹

郭：郭梓祺

生物與哲學

郭：你還記得最初知道世上有「哲學」這東西，是哪時嗎？

關：應是小學。小五時，教中文的馮燮彪老師，說起河圖洛書，講「戴九履一、左三右七、二四為肩」那些口訣。

郭：小學就教這些？

關：對。當時固然一知半解，但大了一接觸，就立即記起小時學過的東西。真正知道哲學和感有興趣，則是經歷中學一個 crisis 之後。中三那年，家中有突變，曾考慮輟學，打擊很大。結果那年成績很差，要留班，但留班後完全改變了讀書的態度，看了很多課外參考書，終於那年考全級第一。而考第二的是我一生中最佩服的朋友，談起來，發現大家興趣相投，他對哲學有素仰，故彼此有很大激發。

郭：但怎樣開始？

關：自學。似懂非懂甚麼都看，包括羅素和存在主義。碰巧當時的老師，也會提到些有衝擊性的書籍，啟發了我們關注不同事情。班主任曾傑成老師把柏陽的《高山滾鼓集》、《道貌岸然集》等放在班會，讓大家傳閱，另外李敖的書也看很多。這都是側面的衝擊，打開了世界觀。

但留級那年因讀書太用功，染了肺病，加上那時父母都在海外，心情抑鬱，以為自己命不久矣。後來病情轉穩定，已不敢像先前一樣苦讀，但到考會考時還是全校成績最好，中六便轉去小學時未能如願考取的皇仁。我一直對理科有很大興趣，但因不想做醫生，故在皇仁讀了一年便轉入中大。

郭：你初入中大是讀生物對嗎？

關：對，當年我是以第二成績考上中大生物系的，但由於自己一直是文、理雙線發展，生物讀了大半年終於又遇上 crisis，如跟系主任說，應增開「生物學史」，一如牛津劍橋的 history and philosophy of science，老師說他們從來沒這想法，而我終於知道自己當走另一路，讀更理論集中的學科，便決定轉系。

轉到哲學系後，有幸遇到許多好老師，特別是勞思光先生，中國哲學史、西方哲學史、康德、知識論都是他教，另外如陳特和何秀煌先生也很大影響。幾年間讀得很如意，獲得多個學術獎項，只是最後很不忿要另考學位試。

郭：那時大家都覺得學位試多餘？

關：心中覺得多餘就肯定，但大家都不敢輕視，唯獨我在考試前還跟朋友通宵在捉圍棋，哈哈，以行動來表示輕蔑。但結果當然還是考到。

在天棚撒傳單

郭：那年代的保釣和中文運動，你有參與嗎？

關：我不在前線，只是小嘍囉，但都有參加。保釣運動時，便與洪清田到銅鑼灣一些大廈的天棚撒傳單下來，離開時，下面已有人在監視。另外因為中大校園鞭長莫及，故有些師兄師姐在農圃道的舊新亞，設了總後勤部，支援受傷的同學。

郭：你那時不是入新亞。

關：我當年入的是崇基，崇基與新亞哲學課程不接軌，原則上不用修對方的課，故新亞老師中，我只旁聽過牟宗三先生暑假開的佛學，上了兩個暑假。大四那年，是中大正式各院合併的階段，故讀碩士時便可修其他書院的課，如劉述先教授開的詮釋學和形上學。

郭：後來為何選擇到德國讀博士？

關：這裏頗有趣。大二那年，我曾被選拔參加美國國務院一個 Asian and Pacific

Student Leader Project，每年兩次，每次在亞太地區各選一代表成團，在美國不同大學巡迴訪問，為時七十日，費用全免。可想像，目的當然是鎖定些未來或有影響力的人，讓他們及早認識美國。我當時是《崇基學生報》主編，經美領事館面試而被選中，我那屆的印尼代表後來便成了國會議長，台灣代表是李大維，後來是駐美大使，剛成了蔡英文政府的外交部長。他當時常提及他前一任的 APSL 代表，姓馬的，對，就是馬英九。

所以我常戲言美國政府在我身上的投資都白費了。當時如我要去美國升學，簡直輕而易舉，但那時卻對美國文化有很深反思，算不上反美，卻意識到美國是一強權，與我傾慕的 cosmopolitanism 有些距離，故知道如深造便會選歐洲。因我一轉入哲學系便學德文，後來知道德國有一 DAAD 獎學金，結果申請成功了，是那獎學金首次發給人文學科，德國文化參贊還約了我和我的德文老師到 Holiday Inn 吃德國鹹魚，只覺很難吃，雖然後來喜歡到不得了。

郭：你說過到德國讀書時也很刻苦，五年內沒回港，跟家境有關嗎？

關：無關。說出來你也不相信，離開香港時，我跟自己立下誓言，不完成學位，便不返香港，其實有很大壓力。初到德國，有時一聽到有中國情調的音樂，如〈江南春早〉，便哭出來，因不知何時才可回香港。

郭：哈，好像古時被貶到老遠的人。我很記得你上堂曾說，初次用德文讀海德格的《存在與時間》讀了三個月，每天讀，不論到那裏都拿着書，卻沒法讀懂。結果三個月後便找金庸的小說來看，覺得文字還是可愛的。

關：你竟記得，我還說，我讀金庸是要重建我對文字的信心。

郭：這也令我想到你對文藝的興趣。你有時上課會提些小說和電影，如談悲劇喜劇和笑的關係，便順帶講起艾柯《玫瑰的名字》。

一部深刻的電影

關：跟專攻文藝的朋友比較，我這方面的浸淫當然差得遠。我看得較多的是古文，有時讀完重讀，如〈諫逐客書〉、〈弔古戰場文〉、〈陳情表〉都讀過許多次。電影我其實看得不多，但看了覺得深刻的便細細回味，如艾慕度華的 *All About my Mother*，你看過嗎？

郭：看過，香港譯《論盡我阿媽》。

關：我欣賞艾慕杜華的才華。這部戲觸及變性、易服癖等議題，坦白說看時一直有很大的排拒感，也不認為是好戲，一直想，what's the point? 懷着抗拒和懷疑看下去，終於連片末鳴謝都看完，還在想，好在哪裏呢？直至離開座位，走了幾步，忽然想通了，有一陣莫名的震撼，立刻和太太講：「我想到了！這齣真是好戲啊！」

我明白了，電影是講寬恕。明了這點，電影的骨節便全出來了。有一幕是這樣的：戲中的兒子追着一個女演員拿簽名，不幸被車撞死了。媽媽早就跟兒子的父親斷了聯絡，直到她找兒子的遺物時，打開其日記來讀，見兒子在日記說一直不知爸爸是怎樣的，媽媽從來不說，自己也不敢問，因知道一定有很多不堪的經歷。爸爸可能不是好人，但無論如何，也希望見見他，了解父親的生活……

（此時關先生哽咽起來了，離開座椅，拿杯喝水，放下，又再喝水，慢慢復歸平靜。）

……那媽媽本已全不理會那不肖的丈夫，慢慢卻改變想法，找他出來，和顏悦色地告訴他有一兒子，並把一直珍惜的兒子的遺照送他，即是說，藉着相片這媒介，圓了兒子的心願。若不因為此，她斷不會饒恕丈夫；因為兒子，乃達成饒恕。看得通與看不通，對戲的評價便是兩回事。

郭：你看此戲時，你已經歷了兒子過世對嗎？

關：對，那時他已走了多年。

郭：你的感覺想必特別大。

關：當然。全戲最可貴，就是那親情的流露。

哲學的無力感

郭：兒子過身一事，對你人生觀最大影響是甚麼？

關：首先是無人能真正把我激怒了。我只隨緣而活，比較無所謂，見不合理的事會不忿，但很快便淡然處之。但我也知道，有這種經歷的夫妻，很多最後不能再一起生活，因不能共同面對這記憶。這種事，是要積極地消化的，不要只當是不幸和不堪的事，要從痛苦經驗中提煉出一些讓生命顯得高貴的價值。我永遠也不會忘記我的兒子，在《教我心醉•教我心碎》，我便引了烏納穆諾（Miguel de Unamuno）的話：只要在記憶中，死者便雖死猶活。

郭：你做「漢語多功能字庫」跟兒子過身也有關係？上次演講，你只提到那時中文大學希望國際化而貶中文的背景。

關：兩樣都有關。中大國際化涉及理，兒子過身則關乎情。「人文電算研究中心」九三年成立，那時互聯網也未普遍。我兒子九四年染病，九六年過身，我有很長時間對哲學失去了信心，如我在〈論悲劇情懷〉寫的，就是哲學的無力感，那是真心話。而我又不是個尸位素餐的人，那四年我一篇哲學文章也沒寫過，要四年後寫〈論悲劇情懷〉才打破這片空白，寫這篇文章的目的就是先道破哲學的無力感，才找回哲學於無力之餘的力量，不過這是後來的事了。

郭：那四年生活，你是怎樣過的？

關：兒子在生時需要照顧，故還能抖擻精神，他一離開，我便崩潰了。我在〈既醉〉一文談過，整體而言就是四字：行屍走肉。先是大病一場，之後好一點，但也只有半日體力，下午二時許便筋疲力盡，唯有喝喝啤酒那樣。由於感情的困頓，那幾年盡了教務責任後，便找劉創馥一起去開發「人文電算」的研究，編寫程式，排遣愁緒，也為日後的計劃建立了許多技術條件。這點跟兒子的事不無關係。

郭：傷心時做這種東西應會好一點。

關：電算對我，像麻醉藥。做哲學要用生命力，而我那時已沒燃料了，如何能燃點和支撐哲學工作呢？所以要做些不用燃點生命的事。人文電算的工作是死板的，後來做有意義的計劃當然也需熱情，但做的過程很技術性，如計數那樣，不會造成感情的困頓，又有智性的滿足感，做出來對天下又有少許意義。有了技術條件，可做的東西很多，如曾試過做哲學文本等。到後來中文大學出現語文爭議，我便鎖定要做漢語字庫，因覺得文化的歷史沉積很關鍵，我甚至從其他計劃抽調人力來做字庫，這是我看通了客觀價值後的決定。

「哲」與人的處境

郭：我想問問字庫的問題。你不是訓詁出身，做文字解釋這些工作，會有甚麼問題或局限嗎？舉個例，你幾門課開始時都會提到「哲」字的來源，可能傳統訓詁的解釋會較簡單，就是折中、能斷，引申為智。你卻有多一重演繹，如謂從理論層面看，指概念的區別，從實踐上看，則是行為的抉擇等等。

關：對，文字學非我專業，故只能不斷自修，如裘錫圭先生的《文字學概要》等。但我在字庫的責任，是訂定字庫的整體規範，並確保其運作順利。最初我自己也寫了幾百條詞條，因不落手做，便難知道困難何在。後來請到中文系的人，便尊重他們的學術自由，每週請兩個助手把有興趣的例子拿出來討論，我也可從中學習，或補充意見。

如你提及我對「哲」字的解釋，便正正因我不是文字學出身，而是哲學專業而興趣旁及於古文字，才有這種互動，我看到的正是他們沒法看到的。這不是誰輕視誰，而是不同視域引申出不同的考慮，故「哲」字於我，便是一種人於處境中求明辨的共同渴求。那種智性的搏動，在西方有西方的表述，在中國則有中國的表達，尤其是當我看見大克鼎和史牆盤的「哲」字，那寫法後來雖再無出現，但那曇花一現的構造，如有「彳」和「心」，處處可與西方的討論相比擬，正正顯示哲學的追求是跨國族跨語言的。

郭：記得你強調「彳」之為「四達之衢」，人總是處於某環境，去回應他的問題，使我想起你曾在書中引用奧特嘉（José Ortega y Gasset）的一句"I am I and my circumstances"，如用這句話來歸納你一路做哲學和教學的經歷，有何想法嗎？例如我知道，中大語文爭議時你會寫文章回應，佔中時，你到德國做研討會又特意讓與會者知道香港的情況等等。

關：入世的問題可分幾層。如六四，我覺得用香港這場所去喚醒我們的記憶是責無旁貸。另一面社會要分工，人有不同角色。字庫的工作，跨越任何政治主張都應該能理解其意義，因語言文字是我們共同的精神財產，這事如我不做，便沒有人這樣做，故我甘願投放精力和時間。當年申請資助，字庫計劃的副題是「通向未來漢語教育的一項基礎建設」，整個模式，包括那些「部件樹」的設計都是創新的，將來還會修訂，希望對未來的教學有點刺激，使文字古老的意義根源信手可得，再不是文字學家所專有。我欣賞明末黃宗羲「明夷待訪」的想法，做好了，待有朝一日有興趣的人可自己找來看看。我這糅合漢宋，讓漢字研究與現象學理論接軌的嘗試，雖較艱深，也希望將來對後學有所啟迪。

郭：真好，謝謝你。

關：對了，你飲威士忌的嗎？

《明報》 二〇一六年六月廿六日

守書待兔——訪「國風堂」馮錦源

因不敵昂貴租金，開業十三年，專賣文史書籍和語言教材的「國風堂」將於十月關門了，尚未知能否找到新舖繼續經營。書店在旺書西洋菜南街六十三號三樓，二樓專賣韓國化妝品，鬧哄哄；再上一層樓，又靜悄悄。店分兩邊，一邊專放語言學習書籍，其包羅萬有，老闆馮錦源笑言是冠絕全港，德法日韓等不用說，連阿拉伯文突厥文西夏文教材都有發售。

但書店的靈魂，似乎還在文史那邊，有大部頭經史典籍，也有治學入門書，愛新覺羅毓鋆的著作，則特別放在當眼處。馮錦源在臺大歷史系讀書時，曾另往毓鋆課堂上課。毓鋆是清室舊王孫，曾為溥儀宮中伴讀，後來一度於滿州國任職，四八年後往台灣私人講學。蔣勳為張輝誠的《毓老真精神》作序，言簡意深：「或許當時我們如此年輕，未經世事，還是很難懂得老師從政治失敗下來在一個小島上重新看待古人經典的心事吧。他常說的話是：『煤球都不會買，做甚麼聖賢。』對於當時陶醉在文學哲學幻想裏的我應該是一警醒吧，我卻冥頑不能領悟。」

馮錦源應知此中真意。他說近幾年「國風堂」蝕錢是常態，故他邊賣書，邊在書店替學生補習，另做保險經紀幫補生計。不妨聽聽他如何在香港看待古人經典。

馮：馮錦源

郭：郭梓祺

「國風堂」由來

郭：「國風堂」名字是你起的？

馮：是。可從開書店的淵源說起。我是讀文史出身的，預科時，老師帶我去過些旺角的二樓書店。後來因在投注站做兼職，走路上班會經過廣華街，發現有間廣華書店。

郭：聽過，但沒去過。

馮：不是你的年代了。那書店如雜貨舖一樣亂，一走進去，嘩。那時我才剛開始讀書，很多東西不懂，慢慢便跟葉老闆請教，他學問好，開始熟落，後來甚至可先拿書回家，出糧才付帳，大一大二的書就在那時看了，而且也生了開書局的興趣，因常常見他坐在藤椅上，不用做似的，哈哈。

郭：那時候廣華的生意還可以？

馮：他也有其他業務，如幫一些機構訂報紙，我有時也幫他寄東西，他說「阿馮，幫我過對面郵局寄了那好不好」，我當然要說好。他常講笑，說將書店讓給我做，但我大學還未讀，哪裏有錢，但想開書局的源頭就從他而來了。

郭：他知你最終開了書店嗎？

馮：他很早走了。我在台灣讀到大四那年，他就癌病過身。大學畢業後回港，我先在中學教書，後來因殺校等等又沒位，想來想去，自己那麼喜愛書，便跟幾個朋友開了「國風堂」。回到你的問題。那時文星還在，專賣文史哲書，我們想將範圍擴大些，也賣攝影和旅遊書等，總之想將國內的好書引入香港，又想到《詩經》的十五國風，便決定用「國風」。後面當然要加「堂」，夠響，「國風書局」就不好聽。

語文與歷史的關係

郭：專賣語文書有甚麼原因嗎？

馮：我們讀歷史的，本來就着重外語，台灣中央研究院也有個「歷史語言研究所」，因常要接觸其他地方的材料，如果你懂那種文字，就不用靠翻譯。

郭：你識得哪種外語？

馮：日文。因那時讀文史哲，日本人的著作很重要。後來也學過點德文，但都忘了，現在只會想辦法如何交租。

郭：哈哈。

馮：文人的悲哀。

郭：似乎是用語文書這邊，養起文史那邊，對嗎？文史書應很難賣。

馮：以前還好些。像我們這些有一定年紀的，要買的都已買了，況且好東西也出得不多。新一代不是無人感興趣，但畢竟人數少。有些家庭可能也不許可，那麼辛苦考入大學，讀歷史系？不是嘛，當然推他去讀其他科。所以我只是當興趣，捱到幾時便幾時。

說起外語，我以前在香港有位老師叫黃貴興，兩年前走了。他是越南華僑，懂梵文、巴利文、藏文、阿拉伯文、法文，和一些死語言如古希臘語、古希伯來語，厲害的是他並非學院出身，都靠自學，簡直是天才，如果他在學院，應及得上饒宗頤和季羨林。我跟他學了一會梵文，但後來工作太忙又放棄了。他原先在中環「春秋雜誌社」開班，後來在這裏也教了一段時間。

郭：你是怎識得他的？

馮：我夠膽説，論外語教材，這裏肯定是全港最齊，因我們很用心找書，連西夏文也有，自然會吸引同行，有些聊得來的，慢慢便成朋友，那時便這樣認識了黃貴興老師。他不為研究歷史，純粹對語言有興趣，平日還要在大公司上班，真不明白何來那麼多時間，有他一半功力就好了。

郭：有人訪問過他嗎？

馮：沒有。真是可惜。

等待有緣人

郭：現在文史書那邊情況又如何？你怎樣選書？

馮：都是等待有緣人。有些書我常入貨，因每隔一陣，就會遇到一兩個年青人對文史有興趣，我便介紹些入門書，免他們走彎路。而且讀歷史也不止是讀歷史，需要有些常識，如目錄學和文獻學，首先須知道中國學術的大勢，清楚究竟有些甚麼書。我通常會介紹張舜徽的《中國史籍校讀法》，或錢穆的《中國史學名著》。然後便看他自己的興趣，有心機看的話，我就推薦呂思勉那本。

郭：《中國通史》？

馮：對，真是好書。我年青時儲了呂思勉許多作品，很敗家，但慢慢都擺在書店放出去了，以前家中有過萬本書。陳垣和嚴耕望講治學心得那些，我也喜歡。後來就看陳寅恪，起初覺得很深，慢慢又開始儲他的書。

這兩三年賣書的確艱難。網購影響很大，因淘寶的「A貨」便宜，很多人不介意是否盜印。現在我便靠幫學生補習和另外做保險支持下去，書店不用蝕已很高興，也別要想人工。即是說，我們都是義工，只為有個地方，因為如果不開書局，又會覺得家裏實在有太多書，我太喜歡書了。

郭：都是熟客較多？

馮：對。有位熟客真好，私下捐了我二千元，很難得啊。有些人知道經營艱難，上來就特別多買兩本書，真是人間有情，使我知道做這行業還有意義。有時見一些年青人上來問問題，解答他時我會很開心，心想，真好了，又多一個喜歡文史，而且可幫他們走少點冤枉路，正如我那時得到廣華葉老闆指點，否則怎知應看甚麼書？我讀中學時看到博益的袋裝書，有一本是《史記》，心想原來《史記》就是這麼小。哈哈，哪知有一百三十卷？

有時是客人上來，問我在看甚麼書，見應該是好書，便叫我訂那幾本回來，再上來拿。

郭：那你最近在看甚麼？

馮：都是很舊的書，如蔣伯潛講經學那些。

郭：我見《毓老講論語》不時提及蔣伯潛。

馮：因他教《四書》時是用蔣伯潛那注本。

上毓鋆的課

郭：那不如轉去談談你受學於毓鋆的經歷。

馮：應該是九〇年，台灣有位歷史系同學告訴我的，只不斷說厲害。去台灣前我也沒聽過毓鋆，那時代香港應沒幾人知道他。

郭：上課前，他要先看看你，談幾句，才決定收不收嗎？

馮：已過了那階段，報名就收，在一幢私人樓的地下室上課，最記得沒有獨立枱，都是一排排。毓老出來，大家起立，鞠躬，那時他差不多八十歲，我一看，果然有大師風範，穿得很傳統，鬍子全白，卻很精神。我心裏想，三四十人的班房，阿伯你不需要咪嗎？然後他一開口就是純正的普通話，很大聲，容易聽，講《論語》「學而時習之」，說很多人亂解，之後用了三四晚，都只在說那章，尤其強調《論語》是要來用的。

郭：他那個「用」也有趣。記得蔣勳寫毓鋆希望他從政，他結果去了讀藝術，毓鋆知道就失望說：「玩物喪志」。不過讀《毓老講論語》，則覺得那個「用」不大清楚，好像沒有說下去。

馮：我覺得他有時說得很玄。怎麼說呢，我想他希望提示人不要單把《四書》當成學問，而真是關乎修身和做人原則。所以他也反對「國故」這稱呼，「故」的都死了，也就沒意義，還讀來做甚麼？學問是要活的。但那時上了幾課之後，問題就來了：這麼有料的老人家，為何名不見經傳？當時受大學訓練影響，總以為猛人都出名。

郭：他那時有否用愛新覺羅做姓氏？

馮：我知他姓愛新覺羅，但他課上很少講自己背景，通常只會罵罵蔣介石，或批評一下當時台灣的情況。到這幾年，看到些學兄寫毓老的傳記，才知道那時他要低調，當然也因政治原因。九〇年兩岸還未完全開放，好像到九五年毓老才回到東北找故居，卻發現已遭改建，變了一個政府部門。他之後便在遼寧成立了一個滿族研究院。聞說清華也曾想請他回去辦國學研究院，但他年紀太大，沒成事。

學而時習之

郭：上課有甚麼經歷印象較深？

馮：記得有次他罵一些同學懶，然後牽扯到一些政治人物身上，最後太嬲，便說，今日沒心情，提早放學。哈哈。但也因為他，才知道「家學」這回事，那是皇家學問，他跟溥儀一起讀書，老師是陳寶琛和王國維等人，他的課開了我眼界，如他強調《論語》篇章的編排不可能是隨意的，以「學而時習之」開始也有原因。關於自己身世，好像只有一次聽過他講當年如何逃命，但他實在少提，何況他與偽滿州國有關連。

郭：我見龔鵬程懷疑他有意把經歷説得迷離些，説他有狡獪之嫌。

馮：可能是事都過去了，不願多提，也不方便提吧。

郭：讀《毓老講論語》，注解我不覺得特別好，倒記得他引申開去的一些話，如他説溥心畬如何糊塗，或溥儀晚年常到故宮靜坐，賣票的開玩笑説：「皇上，買個票吧。」

馮：他不同時期講學的重點也有不同。《毓老講論語》較晚，《子曰論語》則早些，很像我上課時的筆記，講得也比較仔細。

郭：我想不少人跟我一樣，因為「國風堂」而知道毓鋆。

馮：對。我有個客人從來只讀英文書，我介紹他看毓老著作，之後他竟開始對經學感興趣。

這時代最需要甚麼？不就是修養。活得久了，覺得孔子的話真有道理，但亂解就沒意思。第一句就是「學了東西得閒要回去溫習」，哪個小朋友會覺得有意思？首先，孔子講「學」必定是講學做人，不是讀書的學問，所以魯哀公問孔子哪個學生最好學，他答顏回。

郭：因為「不遷怒，不貳過」。

馮：就是，而不是因為他科科一百分。然後那「習」字，「鳥數飛也」，雀仔學飛，即要練習，要實踐。老師教你「助人為快樂之本」，適當時你真能實踐去幫人，心裏覺得高興，便是「悅」。最簡單是這樣解，至少不會錯。

文史的未來

郭：在香港讀歷史，開這樣的書店，有甚麼感覺？覺得孤獨嗎？

馮：會的。對於學歷史我是這樣想，現行初中還有中史，但沒有學生喜歡讀，因為太死板，還在記人名、年份和事件。為何不可調轉，以人物為主？如說唐太宗，可否假設你是李世民，在那環境你會如何處理？你會否跟兄弟爭，抑或當時無法不爭？既不想負弒兄之名，又要自保，應該怎樣做呢？這樣，學生便會從待人處世開始去想，而且發現需要有其他知識，再看同學的答案，便可知道他性格大概如何。甚至可抽一段《新唐書》原文給他看，同時學點文言文。每朝代選一兩人就可以了，至少他會容易記得。

郭：不就是《史記》。荊軻多深刻。

馮：對了。你問我在香港開書店感覺如何，當然會覺得辛苦，會掙扎，你估我是伯夷叔齊，「求仁得仁，又何怨乎」那樣？司馬遷不也問相同的問題？但始終想有個地方以書會友，捱不下去就沒話說，「君子有所為，有所不為」。但反過來，「道不同，不相為謀」。哈哈。現在的歷史教育，很難培養出人的歷史意識，多數只是懷一懷舊，茶餘飯後說一說。

開書店的確不容易。以前圖書行業還蓬勃時，你開書局不識書也不要緊，有錢就可以。情況是這樣的，出版社是上游，批發商是中游，書店是下游。以前書店可跟批發談好條件，總之有新書就給我，書店老闆不看書也可以。但現在因市道差，退書太多，物流費用大，批發便不會自己發新書給你，你要自己靠眼光去買，並且要有專長。網購興盛後，批發也收縮了，未來應該只有上游和下游。我相信書店還會存在，因人還是喜歡實體書，先拿上手翻翻，看看目錄，有些人便來我書店翻書，然後再回家上網訂。另外，我覺得文史哲將來可能會變成有錢人的學問，尤其在香港這樣的地方。除非你家很有錢，否則很難容許你讀文史學系。

威。

郭：但真有那麼重要嗎？學科跟社會地位有關，文史這些，識了好像也不特別

馮：就只是興趣。我認識一位年青人，對文史有興趣，但家境不大好，結果只好去讀法律系。他很掙扎，我只好笑着安慰他說，或者可研究法律史。另一方面，則是因為文史書其實愈出愈少，古籍出版社少了許多家，有些書根本買不到，所以書也不斷升值。你現在要買一部陳垣的《勵耘書屋叢刻》，孔夫子網就過千元。

不過話說回來，能開書店實在快樂，可跟志同道合的人聊天，「這本好，你有沒有？」「那本你有呀，難得啊。」就是這樣，生活也不能只有S和兩直，你以為在經營人生，實則可能在糟蹋人生。

《明報》　二〇一六年九月四日

藝評的探索——訪查映嵐

上月初，有位女子在會展「文化藝術界慶回歸」的酒會上，高叫梁振英下台和坐監。這樣搗亂掃興，旁邊衣冠楚楚的大叔情急下，向女子喝道「做雞啦你」。女子最終在旁人和保安推拉下離場。

那女子叫查映嵐，後來在自己臉書寫了一段話交代事情始末，我印象很深，其中一段：「離場時冇預到要被傳媒扑咪（係，我乜都冇預到……），記者問點解要在儀式上叫佢下台，我唔知噏咗啲咩，其實答案好簡單，人在現場，梁振英企喺你十步之外，有乜可能唔叫佢落台？望住呢壇打住『文化藝術界』旗號粉飾太平、慶祝殺人政權成立幾多年的典禮，除咗搞亂檔仲會做咩呢，唔通企喺度拍手掌？」

我不認識查映嵐，但因覺得整件事實在太具象徵意義，於是相約她訪談。她問我象徵意義所指為何。我覺得至少有幾點：一、台上佈景板「文化」那「文」字的長捺賣弄得惡心。二、沒有一句話，比「做雞啦你」更能揭露那「文化藝術界」的本質。三、不是那示威，大眾根本未必留意，是這樣的文化藝術界，年年這樣為政府拍手掌。

查映嵐自稱「八十後文藝廢青」，是位藝評人，頻密地在《立場新聞》、《香港01》、《明報》、《蘋果日報》等媒體寫展覽評論、書評、影評、劇評等，也做香港藝術的研究，此外亦是文學雜誌《字花》編輯。訪談主要圍繞她對藝評的想法，幾次提及「顛覆」，也說到當中的困難。

查：查映嵐

郭：郭梓祺

郭：我喜歡你寫那篇文章，直白無包袱，很有生命力和幽默感，從另一角度為示威補白。

查：初時也想過不出自己的名字。因報紙起初把我的姓搞錯了，變成「柴小姐」，本想過保持身份神秘。

郭：都一定知道吧。

查：但因我沒登記，有機會他們明年會再叫我去，哈哈。至於你提到那寫法，可能跟我用臉書的方法有關。我用臉書一來看新聞，二來看搞笑東西，所以就那樣寫。雖然那篇文是public的，但始終臉書是個人地方，但後來去了媒體，其他人看可能就覺得語調很古怪了。

郭：不如由你學習藝術的經歷談起。

查：我中五到英國，後來在倫敦讀大學，修歷史。讀完回港，兩年後又再回英國讀碩士，唸藝術史。

郭：讀歷史的訓練，對你之後的藝評有幫助嗎？

查：老實講，本科時沒怎樣讀書……

郭：哈哈。

查：方法論那些，對我來說太悶也太難了，跟之後的藝評關係不算大，但關懷或者感興趣的東西卻是相通的。

郭：你讀藝術史時有何重點嗎？

查：主要是當代。論文寫草間彌生。二〇一〇年讀完，在英國做了兩年工，之後回港。

不自覺在寫評論

郭：在英國時是做甚麼？

查：做過一會拍賣行。那不是我想做的東西，但在英國找工作不容易，又要交租。其實那時已開始寫文章，因覺得工作的實情，跟讀書時學到的東西差太遠，不想放下所學，便試試寫藝評，用英文寫，放在博客。二〇一二年夏天反國教時，《主場》開張不久，藝術版編輯碰巧看見那博客，便問我有沒有興趣，於是我才開始用中文寫，不久後就回香港了，做過藝術行政，也在城大做過藝術教育研究，雨傘運動時辭工，一直到現在就是freelance。這兩年幫一些機構做研究和訪問，去年頭才入《字花》做編輯，主要負責評論版。我不是文學界的，但他們想有些不同範疇的人，就找了我。想起你剛才說，國慶酒會那事我沒包袱，可能因為我不會因此沒了份工，哈。

印象中，在《主場》寫文章寫了不是很久，就開始被放在一個藝評人的位置，而其實我並不是從一開始就很自覺地寫評論。

郭：對你來說，藝評的角色與用處是甚麼？是用來建立某種價值，鼓勵和推動一些東西的嗎？

查：卑微點說，就是留下這刻的人閱讀某些文化產物的紀錄。最有用的，應是強迫人、包括自己去思考。我昨晚看完《亂世備忘》，在臉書寫了幾段感想，寫時也在想，為何要那麼 harsh 呢，但我覺得其實不單對電影苛刻，對自己也苛刻，每個人對自己都應苛刻點。

我想，評論不過是從觀看再行前一步，看書看藝術品時，已會刺激到一些感受、記憶、想法，評論就是再向下挖深，然後理順和組織。一直以來，我都無法回想佔領運動的事，一來不太願想，二來不知如何想，但昨晚那樣搖一搖，好似打開了一個缺口，想通了當日做得最衰的是甚麼。我不是想把《亂世備忘》說到一文不值，導演或入面那個我不喜歡的中產女子的局限，其實也是我和許多人當日的局限，無視佔領群體中的權力結構和階級之類，那個似乎美好的社會實驗，最終只是遮蓋了下面的東西，即複製自本來社會的秩序。不是這電影，也未必想到這一步。

草間彌生與邊緣人

郭：對了，你對當代藝術的興趣是從哪來的？

查：我小時候已學畫畫，一直學到大，傳統寫實那種。在倫敦讀大學時也會看展覽，比較喜歡傳統油畫。好像是十年前，碰巧跟港大美術館的一個團去了日本瀨戶內。那時去的人不如今日多，還未有「藝術祭」，當時甚麼都不懂，首次接觸到當代藝術。到後來，決定再到英國讀碩士，要選科，其實也有些實際考慮，因讀當代藝術好像有用點，出路又闊些。另一邊，就是因為現在四周看見的都是當代藝術，但我不懂，想識多點。

郭：那次旅行，跟你選擇研究草間彌生有關嗎？

查：可能有。研究她，一方面因為我很喜歡六七十年代，不論日本或歐美，都有很多新的藝術爆出來，如行為藝術等。另方面，大概是因為知道她初到紐約時，到了帝國大廈的天台，望着腳下的風景，決心在紐約成名。那時藝術圈由白人男性主導，極簡主義藝術家你很難數到一個女性。她是女人，是亞洲人，又是精神病患者，是三重的邊緣人，處境很困難。我當然沒那野心，但或許人在海外，體會到那種外人的感覺，也想知道她如何在那環境裏找到位置。

對了，我比較喜歡具顛覆性之事物，這也是我喜歡六七十年代的原因。如日本有一個團體叫“Hi Red Center”，因三人的姓分別有高、赤和中這三個字。其中的赤瀨川原平兩年前過身，他應是我在這世上最喜歡的藝術家，一生不停改變自己的行事模式，這很難，因不斷自我否定的過程好痛苦。有好多人是做了一些反叛的作品，然後就繼續生產差不多的東西，消費自己的反叛姿態，這對我來說就是虛偽。

但現在回頭看，那時前衛藝術的整個大計，可算是失敗的。如行為藝術和一些概念藝術，本想做些沒法被收藏、不能被買賣的東西，現在當然一概都被商品化了，如Abramović（郭按：塞爾維亞行為藝術家）便真用很多錢，找OMA設計，為自己建造一座實體的行為藝術殿堂。買賣本身或不是錯的，卻容易被他領着走。這幾年的觀察是，當代藝術容易鼓勵藝術家固定自己，建立標記，因市場需求就是這樣。只有少數的人能不斷變化，可能最初畫畫，後來就做行為藝術，然後寫作，最終還可能乾脆不做藝術家。我也不知是不是太悲觀。

邊緣與顛覆

郭：你剛才這些話我覺得有趣。看你的臉書和文章，隱約感覺到你家境其實不錯，故在想，顛覆是否也需要點條件？而如果家境和教育都幾好的話，是否本身就不會太過邊緣？

查：我同意的，有物質條件的話會容易得多。

郭：所以你說的顛覆與邊緣，跟我對你的很片面的印象不大接近。

查：我沒為自己定下很確實的原則，但許多時我選擇寫甚麼，的確會被這種意識左右，很少寫大展，除非覺得真有東西想批評。前幾年有段時間，就主要寫些相對少人留意的東亞行為藝術，一些本地社區藝術，和巴勒斯坦一個雙年展等。有時見一些展覽特別少人講，在臉書少人理也會想寫寫。

與其說是顛覆，更準確的說法可能是尖銳、反叛、有清晰批判性的，讀書時好自然就給反建制的東西吸引，因當時認為他們真的改變到一些東西，是後來慢慢才覺得，在進入論述、開始有影響力之後就無可避免地進入主流，或應說，是覺得整個當代藝術生產模式都是深陷在資本主義或者新自由主義的邏輯中，而真正的挑釁，應該是要挑釁一些更根本的東西。例如今時今日，如果說要挑戰中產美學品味，或某種既有的道德觀，我覺得在當代藝術的領域裏，可以是一種好虛浮甚至虛偽的東西，因為那些挑戰，到最後，一方面可能是作品已被商品化，另方面則轉化成藝術家本身的文化資本，反過來令作品在商品化過程中佔據更有利的位置。

郭：我比較理解歐洲人為何着重顛覆，也明白在某些時勢下，顛覆有其迫切性。但在香港的處境，有時不肯定究竟是需顛覆傳統，抑或是這地方已太少歷史感，太虛無，太重視眼前，而需更重視歷史或傳統？雖然兩者不一定對立。

鞭打自己鞭打人

查：我沒這樣想過，但確實，所謂顛覆也是種辯證的東西，完全是西方那套思想邏輯。我反而一直想，是否世上所有的顛覆到最終都是徒勞呢，都必然被收編呢。如果藝術家生產作品時，必然無法自外於經濟系統，生產出來的東西，究竟能否真正挑戰到任何東西？如果今日我仍相信文藝可以顛覆任何東西，那對象可能只是我自己。有時逼自己想東西，就如鞭打自己，當然比較好的情況，是可以順手鞭打其他人。

郭：不過看你的文章，或因涉及的媒介和面向實在多，整體感覺好像有點散。

查：或許當代藝術就是這樣，我也覺得困難。看畫我較有信心，但當代對畫的看法又已很不同。相比畫，現在我較喜歡看攝影和錄像，但不論器材還是形式，都變得很快。你說的散，我也覺得有點尷尬，因當代藝術的評論是以展覽為基礎的，容易跟住展覽走。其實現在視覺藝術的評論我寫得很少，較多寫書評和影評。因自己也有點給卡住似的，展覽評論也不知如何寫下去。

郭：是對現況不滿意嗎？

查：可能是因作為觀眾，有時會覺得不滿足，哈哈，說出來好像不太好，但整體感覺好像有點單一和單薄。一方面是市場問題，市場可消化的就是某一類型的東西。另一方面，則關乎香港整個社會的構成，同輩人的同質性很高，相比歐洲一些大城市，做藝術的可能也是中產較多，但總有些別的人，不同文化背景的人會撈在一起，香港則較少見。

郭：大家太相似的確是問題。不過，我估不到你會說覺得寫藝評困難，因我對你的片面印象還包括，你已頗為自如地做想做的事。

查：不是囉，永遠都在掙扎。你說的印象尤其是因為臉書啦，我也知道自己真人和網上的性格不太一樣，以前會焦慮，後來覺得其實每個人或多或少都是這樣，就像在不同社交圈子，會有不同表現。

郭：你回港時還是局外人，那時對香港藝術圈有何觀察？現在有甚麼改變嗎？

查：我今年回港第四年，而香港藝術圈子，很多時跟你在哪院校出來有關，或因工作室相近而結合。兩方面的圈子我都沒有。所以自然地，我跟這圈的人有點距離，這也有助我的評論。我到現在都有種在圈外的感覺，或者對我而言，不感覺在圈內也重要的。觀察就是，藝術圈真的好細。

郭：會否有時覺得既然已少人做少人理會，就不要太狠？

查：如果有「就住就住」的想法，會是因為我在現實世界認識某某人，會不好意思，不一定是出於怕個圈太細驚得罪人的考慮。只是自己個性本來就不是好confrontational。不過如果要這樣，就情願不寫囉，那麼煩，但至今好似未試過。

郭：但因你的成長和焦點都不在香港，寫香港藝術會否遇到困難，即時想到的，包括對本地藝術史和討論的認識。

研究香港藝術史

查：在香港，很多人都不知自己的歷史，由家族到城市的歷史都是，藝術史一樣。因為碰巧今年幫人做香港藝術史的研究，才知道本來就十分少人做。研究也沒有，當然好難說得上認識。

那計劃是八十年代實驗藝術的研究，主要是去資料庫找東西，整理和做訪問，找二三十位當時活躍的藝術家，不同形式的，如畫畫、雕塑、行為藝術、錄像等都有。感覺是，傳承好多時只在師生之間。除此以外，我想現在活躍的人，受前人影響不是太多，反而回應西方藝術家的就多得多。我其實慢慢都開始有這焦慮，即作為一個所謂香港藝評人，對香港藝術的歷史並不了解，也所以今年這個研究做得幾開心，學到好多東西。

郭：回到你剛才說寫藝評的困難，可如何跳出去呢？

查：也正在找些框架去理解所做的事。我寫的東西有點散，看的東西也散，故希望找到些焦點，否則愈做愈覺得虛無，不知做來為甚麼。藝術評論是寫完就真完了，很少有後續可推進討論，有時好像只是自己跟自己說話。

當代藝術幾流行做連結社區的事，雖然不都做得好，但相比起來，評論就永遠去不到那些位置，很難 engage 更多人，這些我仍未想通，但覺得如找到一框架去歸納，或比寫展覽更有意思。可能是找作品間的共同關懷或意識，再由此發展下去，不一定限於香港，能連繫上亞洲就更有意思，我剛剛也寫過些台灣和韓國的東西，大陸則實在太大了，但也想知道更多，雖然現時香港的社會氣氛似乎不鼓勵人多接觸大陸的事情，但我覺得文化的價值就在這裏，或可以超越仇恨，嘗試理解另一堆人的想法，本身是很有價值的。

郭：好，就繼續鞭打自己、鞭打別人吧。

《明報》二〇一六年十月二日

大浪細浪意識流——訪梁穎禮

梁穎禮是獨立樂隊「意色樓」主音，也是「反東北十三人」之一，因時任律政司袁國強的政治檢控，去年由社會服務令改判監禁十三個月。他坐牢時我曾跟他通信，獄中的緊絀見於信上，他初次回信的最後兩行都逼在紙末：「因熄晒燈，摸黑寫字，太潦，sorry。」他曾跟我推介《鬼太郎》主題曲，妖怪不需考試，「在墳場舉辦運動會」，結合反叛與玩樂。可能寫信總希望填滿白紙，就這樣愈談愈多，有次問他在想甚麼，他細說自己位置上的拉扯，既有莫名的責任感，又想做低調 band 仔。

他二月初保釋出獄了，這週三聽審才知道會否重投監獄，心情可想而知。訪談前，他說曾有記者影相時要他把長髮散開，沒吸煙也要點煙拿着以符合頹廢形象。聽了一同大笑。政治犯出獄後，好像循例要回答後不後悔的問題，但政治既可關乎整套生活形態，他重視的獨立音樂和共居又具反抗現狀的色彩，是故今次亦聚焦於此。問他有沒有甚麼想通了？他說是謙卑：「不做大浪，要做很細很密的長流，這只在謙卑時才做得到。」這才知道他想寫本地獨立音樂史。

梁：梁穎禮
郭：郭梓祺

獄中聽叱咤

郭：你說出來後，除了見親友，最想練歌和錄碟。

梁：是，練歌會流淚。想起一個畫面。因意色樓最初的成員幾位現時在「觸執毛」。一月一號晚，大時大節，囚友都在收音機聽叱咤頒獎禮。開場就是觸執毛，但心想沒理由那麼老土，估到有明星插入。年青囚友還說，挑，Supper Moment 扮謝霆鋒，原來真是他來的，「威化般乾脆」嗝。

郭：哈哈。

梁：聽時感覺真複雜，覺得自己就像電影裏的角色。那晚寫信給黃麒靜說，意色樓曾有個 Bass 佬阿庭，覺得意色樓早了十年。我們初時曾簽一個獨立音樂的 label，努力推我們去主流媒體派歌和做訪問，記得陳奕迅也說幾得意，香港要有這些 band。結果年尾收到商台通知，可競逐最佳組合，上 903 網頁看，嘩全民投票呀？最後當然沒去叱咤，襯衫去咩？

郭：那年誰勝出？

梁：好像是HotCha。那晚不單沒去，還在Hidden Agenda表演。那時開始玩較多錢的大show，但朋友只說今日的聲或燈如何，都成了技術討論。或者問題變成「怎樣別人才會喜歡？」，但應該是我們本身這樣，便有我們喜歡的聽眾。大show接觸不到觀眾，就回去玩indie show，對主流充滿敵意，杯葛Clockenflap，覺得他們太側重西方，沒個性。現在回想，敵意可能太多了。

說起那個label，起初是和一班朋友搞了個「鑿開運動」，在觀塘碼頭搞「游擊show」，覺得自己好前衛，Oasis當初也是那樣，不申請，派對時交換電話，演出當日打去，電話錄音才說出地址。到我們那年代則用MSN。後來在街搞show也不夠過癮，朋友覺得要錄音搞label，清心地想將好音樂推出去，表弟會說在收音機聽到我唱歌，我也沒試過。但也想，應該選擇自己的位置，因遇過監製教訓我說要怎樣唱。

郭：例如怎樣？

梁：就是用Cantopop的格式，只是用band來表達。會說，阿禮，你唱歌可否啱音？

郭：哈哈哈。

左腳與右腦

梁：我最初其實不是唱歌的，噴 graffiti 和寫東西，在一本叫 *Re:spect* 的音樂雜誌寫過影評，寫 VCD 舖裏賣九元那種電影，後來嫌人廣告核突反面了，哈哈。但如在信中跟你說，自從因爆了腳甲而轉用左腳踢波，便覺得開始用多了右腦，結合不同範疇，藝術成分增加。

郭：都不知有甚麼關係……

梁：那時真這樣想，十五六歲練用左手寫字，撇去舊那套。寫詞都是 hardcore 東西，對社會不滿，應是 band 仔開頭的常態。

郭：看劉以鬯是後來的事？

梁：那麼遲才知道他我也覺得奇怪。樂隊名字最初是先有 An id signal，因 bass 佬說 id 是「本我」，音樂就是本我的訊號，音譯過來意色是意態色情，太虛，不如加個實的，便想到樓，跟文學的「意識流」無關。直至看到劉以鬯，太震撼，因自己寫詞追求靚，好像想顯示：我沒讀過書，也識寫靚詞。看了他便覺得想法不夠寬闊。他那麼平實，沒廢話，連重複都那麼有意思，節奏感又好，令我明白到那種主觀突然滿瀉，無端說入角色去的感受，便追看他所有書。Band 仔有另一類，是沒修辭較口號的，可能全首只是「我拒絕，去接受」。我雖聽這些出身，但覺得這樣不夠深度，決定寫好他，因為明明有音樂性。

我覺得 vocal 似條橋，很多人聽不到純音樂，我便即管寫歌詞，令人聽到嘈的東西，因想介紹新東西給人，結他和鼓方法都較新，如 vocal 是舊就很古怪，便想方法唱，又不想扮西方人，因聲帶結構不一樣，食牛肉也不及人多，這樣說 racist 嗎？哈哈。然後便思考 scream 是怎樣一回事，京劇、粵劇、Reggae 都影響過我。

Band 仔加入社運

郭：郭達年等又如何？

梁：我當初是 band 仔去社運，跟周諾恆等 FM101 朋友搞「搖滾不容殺人政權」音樂會，發覺社運跟 band scene 無關，黑鳥由頭到尾是社運樂隊，可能只在反核 show 會一起玩，但那時已有意識將他們和本地 band 拉在一起，結合了幾代人，也有 Wilson Tsang 等。現在則比較習慣。

郭：講多點兩邊的關係。

梁：〇五年香港反世貿，我去了看，知道連外國很狂的左翼老鬼都來了，是明星級已經有本自傳那種人，有個曾駕着鏟泥車撞銀行，坐了多年監，很工人很藝術，令人感動。見到長毛，嘩不堪一擊，反觀韓農那麼厲害，跳落海要游去會展，幾爆啊，一下分到幪面超人和孫悟空哪個更好打。心想這才是瘋狂和叛逆。這感覺醞釀了幾年，識得「自治八樓」的人，氣氛有點像墨西哥的 Zapatista，在 band scene 也跟其他樂隊有角力，覺得他們唱那麼多 hardcore，連貼海報也約到九十幾人，何不直接做個反歧視的行動？一討論就抗拒，覺得我們傳教，講左翼和無政府。這樣吵架沒出路，同時覺得香港需要音樂節目，阿牛碰巧想搞，便在民間電台講。發現只講不做有問題，和周諾恆知道領匯搞到有人跳樓，便找「八樓」的人一起上領匯寫字樓堵塞。自始沒停過社運，簡直荒廢音樂，第二張碟完全拋諸腦後。後來浪接浪，反領匯，反高鐵，後來和 FM101 的朋友反大台，但不是後來本土派那種，還相對平和。反政改時，在舊立法會外直播會議，主持說大家下次會再回來是不是？台下就有人叫：「唔係，我地要留低！」那刻是在實驗社運可以怎樣，然後FM101的阿G衝上台搶咪，覺得可發生討論，真有百幾組人在圍圈，從未見過，甚麼來的？激進但不盲目。

郭：那時期意色樓仍常演出？

梁：一直有。那時在社運場地演出，心中常跟自己鬥爭，是否要正經點？是否常喝醉所以別人覺得我們hippies或太浪漫？音樂那邊又會想，是否太老正，不夠邪，哈哈。藝術的朋友覺得我是社運仔，社運又覺得我是藝術家，但我明明整個碼頭罷工都在，心想為何這樣說，可能只是想令你少些話語權。那時台灣藝術雜誌*ACT*有篇文章寫得好，說藝術是公共的，又是自我的，當你腦中有矛盾，那就是創作的動力。讀完便沒事了，專心玩音樂，雖然社運那邊也有前輩說，你有人認識，不如去選。

郭：吓，叫你？

梁：是，我想也沒想過，也受人單打，說你就最清高。再後來則是跟德昌里的同伴，在一起各搞各的東西，希望與更多人創造一個世界。

寫本地音樂史

郭：說起 hippies，我估計也是不少人對你的印象？

梁：只會說我做不到真 hippie，因有太多批判，不能只接受 Love and Peace，還要有 Hate and War。那才是平衡，只有 Peace 太極端了。共住也不過是從基督教得啟發，所以有另一堆人說我們似教會。但這十年如不是共住，肯定不能維持創作，近距離交流容易得多，想到 beat 就可試，拍 MV 那個也在旁邊。

郭：想起你在信中說，一方面有種莫名的責任感，另一面又希望做個平凡低調的人，跟着唱歌的女朋友去 Tour 幫手已好開心。

梁：責任感是共修，低調是自修。社運上，其實在東北前我已不在前線拿咪說話，尤其大家都傾向喜歡乖人，年青和乖加起來有神聖感，我當然不是，只覺得有責任繼續在其中。說跟 Tour 幫忙，是想跟住喜歡的藝術家，如女友或 David Boring 等樂隊影影相。我有做紀錄的癮，但一直不夠專注，外國 band 許多生活都好看，譬如 Stone Roses 和 Happy Monday 的紀錄片，香港卻太少音樂人去呈現這面向，所以想在他人身上找到那熱情。我很難寫意色樓，之前避寫本地音樂史也因不知怎樣寫自己，但自覺也有份影響過，這樣說又好像太囂張。

郭：關於本地音樂史，想起黃津珏的《拆聲》也側寫了一點，另外李致安也做過些攝影紀錄。

梁：我覺得最好有時間線。也可跟類型講，為何 Nu metal 會轉去 Emo rock 呢？跟背後的文化，那期大家看甚麼卡通片也有關係，一個類型已牽涉很多樂隊。我喜歡英國《迷幻異域》(*Altered State*) 那種紀錄，從搞 show 的人、音樂人、聽眾、藥販等不同角度寫，不刻意講政治，卻見到社會氛圍的變化，像保守黨如何拉攏音樂人，希望拿得青年文化的話語權。

郭：你想用這紀錄來說甚麼嗎？

梁：有基礎才可起得高。香港 band 有自己性格的並不多，用李致安的講法，是想找受香港 band 影響的香港 band。大家一定受西方潮流影響，許多香港 band 跟着不停轉類型，有些可能只有三四年壽命，難以累積。

黃津珏那個比較知識性。我暫時雖只有零碎紀錄，但希望呈現的是生活面向。例如游擊 show，便不是突發就能成事，而關乎 band scene 整套生活，那幾隊人可能已有一年常常吃飯，一起搞 show，才能引發一場游擊。這種生活紀錄，林森也拍過點，但總括而言實在太少。

郭：最可惜甚麼東西無人紀錄？

梁：就是有大型音樂節前，幾乎每週五六都有show，在大學、蒲窩、灣仔的酒吧，也有很多聽眾自發搞，不少都具社區意識，比社運那種可能還早，火炭的跟觀塘的不同，但葵涌搞天台show，觀塘band仔又會去看發生甚麼事。把大家拉得更近的大概是「活化工廈」那時期。到有了大型音樂節，力量都投放過去了，好像每年只為玩那場show，人就鬆散起來。

學習謙卑

郭：想做好這些歷史紀錄，跟你說在獄中領悟到謙卑有關係嗎？

梁：以前覺得自己在社運和band scene都常處於風眼狀態，但從歷史的角度看，不過都是沙石。在band scene會聽到對本地音樂的批評，嫌不及外國勁；社運又有人批評不夠前進，看看美國或台灣如何如何。但這些比較不是都來得太快嗎？我們的抗爭史和音樂歷史都太短了，最少是沒承接，累積不足。

坐監時看到囚友玩Beyond或許志安的《男人最痛》，我也開始投入地聽，以前根本不可能。因為他們真在用音樂這載體來表達情感，沖涼時認真討論怎樣改進，不是要做明星，只為找到喜好，知道自己的時間應怎樣過。在那場合，如我說曾對住一萬觀眾玩過，是完全不成立的。有古惑仔說，你原來會在街搞show，很想來看，說最期待出獄後可玩音樂，而不是搵錢。

郭：是想由社運回去音樂那邊多點？

梁：對。在社運，好像不少群眾覺得我是曳仔，甚至是搞亂檔的奸角，又或別人一句hippie已講完，哈哈，好傷心。音樂這邊較自在，在那建立網絡認識朋友，其實也是在搞組織，只在換了一套語言，不是事工式的行政操作，講多點共居和創作，令生活沒那麼難捱，不像機器那樣，也在影響別人。正如現在仍收到囚友的信，鼓勵我要繼續玩音樂，也說多了留意新聞，會看《星期日生活》。是不是幾好？

《明報》　二〇一八年三月十八日

球評世界——從利物浦到香港丁組

我曾是狂熱球迷，小時跟許多小孩一樣，會把家中、樓梯口、保齡球場以外一切球場當作足球場，常跟父親和他的工友到大球場觀賽，東西看台和場館都坐過，週日必看和同時錄影《球迷世界》，最記得大球場改建前，有一集以舊球場為主角拍了個MTV送別，一直只記住了音樂而不識原曲，多年後在外國一個晚上無意聽見，才知道叫 *Rhythm of the Rain*，感歎了好一會。長大後，目光轉向英超和西甲，近年則基本放棄踢足球，淪落到只在 Youtube 看球賽精華。奇怪的卻是每天仍然用上不合理的時間，來來回回看各足球網站的消息和評論。

《球迷世界》這名字改得好。這世界真由許多互不相干的世界組成，不是球迷就被排拒在那世界之外；有些球迷只聽旁述不讀球評，也無法了解球評世界之紛繁。近期最精彩的，應是利物浦在歐霸盃四比三反勝多蒙特後，Football365 在讀者來信一欄，把曼聯球迷的反應輯錄成文，題為"When even Man United fans say 'wow'"。為看那場比賽，那晚深夜四時起來，但看不到十分鐘已輸到二比〇，只替進場的球迷難過，要在無望裏一起坐八十分鐘捱到完場。這時候自然令人懷念謝拉特——反勝AC米蘭的一夜，轉眼便是十一年前！結果卻是，利物浦竟在補時反勝多蒙特出線，用「戲劇性」來形容未必適合，再不要臉的編劇都不敢這樣交貨。是否決賽毫不重要，因完場的一聲哨子裏，自有一種屬於足球的美麗，配合天光的靜謐，四野無人，那應是香港球迷共有的靈性體驗。

利物浦和曼聯是宿敵，很難喜歡一隊而不同時厭惡另一隊，球迷心態總是恐怖：利物浦贏波並不足夠，要曼聯當日同時輸波，才覺得世界還是公正和仁愛的。許多年前，便聽過這兩難：寧願利物浦贏聯賽冠軍，但每次跟曼聯碰頭皆慘敗，抑或相反？我那時選擇不要冠軍，今日一樣，往後亦然。曼聯球迷對利物浦這勝仗心情有多複雜？這些真心話一翻譯就易失味道，只好原文照錄。一位說：“tribalism aside, I couldn't help having a wry smile when Lovren's header went in. That's what football is all about, and why we love it so much. All the best in the semis you determined b**tards. Bloody hell.”另一位讚歎一番後，有此結論：“Congratulations to Liverpool for making it to the next round, I sincerely hope they get thrashed by whoever comes next.”願望多麼真摯。另一位：“I bloody hate Liverpool as much as the next United fan but oh my God that was brilliant. Never a bad sight seeing gutted Germans reminds me of a certain night in 1999.”一九九九是曼聯在歐聯反勝拜仁慕尼克的一夜，利物浦球迷心情同樣掙扎。

球評多數重在球隊部署或球員表現，除非極精闢，否則看了通常水過鴨背，能使我留下印象的，往往倒因為裏頭有感情，如上面那些曼聯球迷的生死愛恨，或如從前 Soccernet 評論家波爾（Phil Ball）文章裏的溫情。波爾有其分析一面，多年前一個季末，他便從皇馬的戰術和餘下賽程，引申到其佛朗哥背景、加泰隆尼亞簡史，以及邊緣球會的反中央情緒，推斷巴塞將取得聯賽冠軍，果然。後來讀奧威爾寫西班牙內戰，也因此先有個大概。波爾的專著 *Morbo: The Story of Spanish Football* 從歷史、政治、階級入手，足球當然不止是足球。不過，我始終更喜歡他平日在文章那閒話家常，重心不時從抽象的球會，回到有血有肉的球員和他自己，見林見樹。

波爾寫得特別有感情的球員包括沙比阿朗素（Xabi Alonso），因他們曾是街坊。那時阿朗素還在皇家蘇斯達，球隊位處巴斯克自治區，有自己的語言和文化傳統，地方意識強烈，皇家蘇斯達便有很長時間只限巴斯克人做隊員。阿朗素在該地成長，冒起之後，二〇〇四年轉會到利物浦。我對他這類球員有好感，不是一個扭三個的球星，也不是總在補時才入球反勝的英雄，甚至有明顯缺陷——古積特一次訪問被問到隊中誰人最慢，除了門將拉爾拿，便舉阿朗素。但他對球賽節奏敏感，太急促忙亂時會刻意慢下，幾乎是用身體語言來提醒隊友，對手分心了卻突然四十碼遠射使人狼狽。有時則是一記轉向的長傳，一下改變球場的長闊高，優雅得很。

波爾在〇五年一篇題為"Viva El Liverpool!"的長文，提到阿朗素轉會到利物浦前的一個片段，那時傳聞皇馬對他也有興趣：早上，阿朗素坐在餐廳一角靜靜喝咖啡和看*Marca*這份親皇馬運動報章，一位街坊見狀大叫：「沙比，求你不要到那該死的皇馬！」他從報章抬頭微笑說：「別擔心，我不會到那裏」，然後又靜靜喝咖啡看報。這恬淡，跟阿朗素在球場上的作風脗合，那年他果然沒去皇馬，之後幾年的利物浦才有種罕見於英超的持重，沒有他和馬斯查蘭奴掩護，謝拉特斷不可能那樣放肆地衝衝衝衝吧。

到〇八年，有傳賓尼迪斯有意賣走阿朗素以羅致巴利，雖然利物浦那年取得聯賽亞軍，我卻知道這球會正要步向衰亡了。波爾寫了另一片段：暑假，太太來電，謂休假回家而去向未明的阿朗素就在身旁的網球場。波爾即叫十二歲的兒子拿利物浦球衣踏單車速至球場。不久，兒子拿着球衣回來，上面簽了巴斯克語名字。波爾問兒子剛才是用英文嗎，兒子說跟偉大人物說話只用巴斯克語，還囑咐了阿朗素來季要留在利物浦。波爾雖覺得兒子太冒犯，但同時宣布，各大球會可死心了，因阿朗素用巴斯克語跟他兒子說「那當然」，肯定是真的了。結果，阿朗素那球季真留在利物浦，一年後才轉投皇馬。波爾寫的既是球星的生活點滴，也是球迷的生活寫照，那幾如希望子姪成才一般的靜靜的守望，使我想起小時候到南華會看操練，能偶爾跟山度士說幾句話已很高興。球迷的快樂可以很單純。

波爾寫自己也好看。幾年前哥迪奧拿將要離開巴塞時，波爾寫了"The Pep Chronicles"，頭半篇寫大球會，末段筆鋒一轉，說自己剛買票看了一場英國丁組聯賽。球場風大，球賽難看，且支持的一隊還要落敗，於是想起母親的問題：為何要看二十二個傻人追着一個皮球？波爾說，答案不就在風中轉嗎，大球會可趾高氣揚，全因這骯髒的另一端得到維護，「沒有浮游生物，鯨魚終將消失」。所以他還是會進場支持。

這使我聯想到香港球評家 Momay。對比世界大球會，香港的東方傑志都是浮游生物，Momay 厲害之處，正是有段時間曾耐心地留意香港丙、丁組球賽，並在「獨立媒體」撰文報道，例如一場十九比〇的丁組聯賽：「今場瑞聯嘅守門員，應該係臨時頂上，基本上佢唔會點做飛撲動作，用腳救波多過用手，龍門球過唔到半場就一定，不過都叫救咗幾球而且落力提場及鼓勵隊友，輸〇比十九係大咗啲，不過就算輸到〇比十都繼續嘗試進攻冇扮死，全場取得七次射門算係咁，俾啲掌聲瑞聯啦。」龍門球開不過半場，簡直是小時的學屆噩夢，這類球賽有多可觀不難想見，難得作者還認真做紀錄，有時為了觀賽時能辨認球員，甚至會在賽前先到足總網站看球員照片，對足球一往情深。近日見 Momay 的焦點從香港擴闊到亞洲，如專注介紹印尼聯賽。那些球會通常只在亞冠盃以香港球會的對手這形態出現，一下卻成了主角，這跟「運動公社」那種每每從足球延伸到社會政治的文章，同屬香港難得的球評。

從浮游生物回到鯨魚。以往有段時間，常跟愛把希斯基稱做“oh donkey”的利物浦老師看球賽，他說利物浦球迷總是在季初說「是今年了」，然後在季末說「是明年了」，彷佛人生所有樂觀希望都放在足球之上。末了自然要說：希望利物浦於十五年前那場如過山車的歐霸盃決賽後，擊敗西維爾，再度奪冠，「是今年了。」

《明報》　二〇一六月五月十五日

鳥兒輕輕在歌唱——
為香港中文大學「文學創作教學」研討會寫的

去年底收樊善標老師電郵，邀約做「以寫作為職業及志業的經驗分享」研討會講者，當時反應只是覺得不配。寫作既非職業，說志業也好像太沉重，打算推辭。老師再傳來電郵，引余英時先生「陀山鸚鵡」之寓言，謂有些事是由感情而生的責任，不僅因個人心態決定做不做。因先前已推過老師另一些邀請，今次他這樣寫，我知道是不應拒絕了，想來更應感激他才是。

在香港談「志業」有點超現實，一不小心就給人聽錯作「置業」。但對我來說，樊生那幾句話正好解釋了何謂「志業」。原初或是個人選擇，但一旦投入其中，便可能成為感召與個人意願的拉扯，或須減少自我來成就他，慢慢混同合異為一。若要從寫作經驗說起，想到的比喻碰巧是雀鳥：不是勞碌入水沾羽救火的陀山鸚鵡，而是清晨待在樹上不知名的小鳥。

十多年前，讀了很多董橋和梁文道的文章，覺得這種承傳文化的中間人真重要，之後自己讀到好東西，便總想向外傳揚。最初寫的是電郵，常常深夜傳給朋友，但後來覺得應該接觸更多人，就試寫書話投稿到報章。那時剛專注看藝術電影，有強大的意欲把激動表達出來，故同時也寫影評，談塔可夫斯基等較冷門的導演。初時自然是戰戰兢兢，朋友說在報紙看了文章通常又喜又驚，別人叫我作家總覺得是嘲弄。但一開始便得到發表機會和肯定，都是運氣，因加起來，那就是些難能可貴的存在感了，性格大概因此才不至太扭曲，覺得世界欠了自己。

那段日子剛進中學教中文，每天用瞎子摸象的方法捱到放學，然後再捱到週五，周而復始，寫作可算紓解，如同 George Orwell 說的：“I felt that this created a sort of private world in which I could get my own back for my failure in everyday life.” 教書覺得挫敗時，便想幸好還有寫作；自覺文章寫得差，又想既然都是將好東西跟人分享，還是教書直接些。在這種來來回回的自我安慰下，總算應付了開頭一段日子。直到一晚跟一位前輩吃飯，談話間他忽爾說起「鳥兒輕輕在歌唱」。不明白，他解釋：「正因為鳥兒自知不是大鷹，所以才沒有用力把肺都唱破了；所以輕輕歌唱，也所以感人。」我無志願做大鷹，這故事難得把小事情說得如此動聽，就想不妨以此為方向，不用特別聰明或博學，有自知之明地做恰如其分的事就可以了。

心虛只好虛心，寫好一篇是一篇，出發點如我在《積風二集》自序所言：「世界已夠不公平，好東西更沒理由一路沉沒。寫文章，都是將不一定要跌在我身上的知識、想法和喜悅攤分開去」。自我要求是平實，尊重筆下的一字一句，不濫用術語，盡量不說廢話和人云亦云。我的評論框架不強，文章寫來有時更像隨筆或引介，嘗試在文章解釋感受，點出作品易被忽略之處，總之想為我看過古今中外的好書好戲做點事。

我對傳統和經典有敬意，尤其覺得中國文化因近代政治而充滿斷裂，但一地的文化，唯有認識其源流才能自重，不落入自大或自卑的兩端，故希望能用不古肅的方法來談論古典，目標是比我年輕的不打呵欠，比我年長的不皺眉頭。不一定每次理想，失敗了唯有下回再想辦法。慶幸《星期日明報》一直容我寫不合時宜的書和電影，可以新舊夾雜地寫下去——如果政治抗爭為的是大家可過更像樣的生活，我相信文化上的多樣化、對陌生事物之包容，也是這美好生活的背景。

那時想，一件小事認真做下去，若做得夠持久，也可能有所建樹的，不宜妄自菲薄。印象較深的一次，是有天得悉劉殿爵教授過身。我不認識他，在中大離遠見過他幾次，他的英譯《論語》和《道德經》都使我深深受益，只擔心報章無人提及他，一般讀者就不知道香港曾有這麼厲害的人，突然有種「捨我其誰」的感覺——比我有能力的人大概在學院裏寫論文，未必會寫報紙文章，於是決心要寫，聊作報答。雖是悼文，記得文章見報那天卻同時感到快慰。

回到大鷹與小鳥的比喻。我們普遍都容易認為做大鷹才是「成功」，做不到就是失敗。如此，現實自然是九成半人注定失敗。何苦呢？於我而言，這正是文學和電影可貴之處。除了予人美感經驗之愉悅，他們都肩負起說故事的責任。人對故事的渴望從沒變更，可惜社會總易受一兩套故事主導，大大局限我們對世界或幸福的認知。此所以好的藝術作品，每能呈現人性與經驗的多元複雜，這對人也是重要提示：故事內容不只一種，形式也變化萬千，找適合的故事框架來理解自己更有益處，不必屈從於主流、現成、單一的故事，若能從中掙脱，減去無謂的比較、嫉妒、自卑，說不定是明白他人和自己的起點。我珍惜藝術無聊無用的部分，但更重視他對人生的啟示。文藝不能只淪為生活品味。

寫作至今將近十年，繼續向前摸索，但回頭一看，卻已成了年輕人的前輩。能為他們開路固然好，就是發現其實正走向死胡同，也至少可揚手示意「此路不通」，應該試試別的路。

文學和寫作曾給予我許多美好時光，以上是一點經驗歸納，希望與有志者共勉。

《童心與夢：文學創作教學論集》 二〇一六年六月

積風三集

作者／郭梓祺
封面題字／萬偉良老師
封面及插畫／區華欣
總編輯／葉海旋
助理編輯／黃秋婷
版面設計／陳艷丁
出版／花千樹出版有限公司
地址：九龍深水埗元州街二九〇至二九六號一一〇四室
電郵：info@arcadiapress.com.hk
網址：http://www.arcadiapress.com.hk
台灣發行／遠景出版事業有限公司
電話：(886) 2-22545560
印刷／美雅印刷製本有限公司
初版／二〇一八年五月
ISBN: 978-988-8484-07-2